1 다음 빈칸에 들어갈 말로 알맞지 않은 것을 고르세요.

Is there _____ on the table?

① a box
② a potato
③ my watch
④ some butter
⑤ some spoons

2 다음 대화가 자연스럽도록 빈칸에 들어갈 알맞은 말을 고르세요.

A: How _____ do you go to the gym?
B: I go to the gym every day.

① far
② long
③ early
④ fast
⑤ often

6 다음 ⓐ와 ⓑ에 공통으로 들어갈 말이 바르게 짝지어진 것을 고르세요.

• A: ⓐ   is the weather today?
  B: ⓑ   is raining.

• A: ⓐ   far is it to the airport?
  B: ⓑ   is about six kilometers.

① How — It
② How — That
③ What — It
④ What — That
⑤ When — It

7 다음 밑줄 친 부분의 쓰임이 나머지와 다른 것을 고르세요.

① Can Jordan ride a horse?
② Mandy can't open the bottle.
③ They can't speak Japanese.
④ Can I borrow your camera?

KB052877

[11~12] 다음 빈칸에 들어갈 말이 바르게 짝지어진 것을 고르세요.

11

- There is some _____ in the bottle.
- There are some _____ on the desk.

① milk — eraser   ② milk — erasers
③ milks — erasers   ④ eraser — milk
⑤ erasers — milk

12

- How much _____ do you use?
- How many _____ does he have?

① book — paper   ② books — paper
③ paper — book   ④ paper — books
⑤ papers — books

[13~14] 다음 중 잘못된 문장을 고르세요.

13

① Finish your homework.
② Let's not read his letter.

16

다음 두 문장의 뜻이 같도록 빈칸에 들어갈 알맞은 말을 쓰세요.

- Can I use your phone?
  = _____ I use your phone?

17

다음 문장을 부정문으로 바꿔 쓰세요.

There are some eggs in the basket.

→ _____

[18~19] 다음 우리말과 뜻이 같도록 밑줄 친 부분을 바르게 고쳐 문장을 다시 쓰세요.

18

- The table is in front of the sofa.

③ Don't touches the flowers.

④ Let's buy these toothbrushes.

⑤ Never tell a lie to your parents.

14

① They must wear gloves.

② I have to exercise every day.

③ You must not swim in the lake.

④ I have to must exercise every day.

⑤ Jane doesn't have to buy a ticket.

15 다음 짝지어진 대화가 어색한 것을 고르세요.

① A: What sport do you like?

   B: I like basketball.

② A: When is your birthday?

   B: It's July 28th.

③ A: Where is the restroom?

   B: It's on the second floor.

④ A: How does she go to school?

   B: She goes to school at 8:30.

⑤ A: Why do you go to the library?

   B: Because I have to return the books.

그 탁자는 소파 옆에 있다.

↓

19

• Peter is going out of the building.
  Peter는 그 건물 안으로 들어가고 있다.

↓

20 다음 우리말과 뜻이 같도록 주어진 단어를 사용하여 문장을 완성하세요.

• 공을 던지지 말자. (throw / the ball)

↓

정답은 뒷장의 학습계획표 아래쪽에 있어요.

⑤ Ryan can fix the computer.

---

3 다음 빈칸에 Let's가 들어갈 수 없는 것을 고르세요.

① _____ write a letter.
② _____ sing together.
③ _____ go to the library.
④ _____ takes the subway.
⑤ _____ play tennis after school.

[4~5] 다음 빈칸에 들어갈 말이 나머지와 다른 것을 고르세요.

4
① _____ is Saturday.
② _____ is nine thirty.
③ _____ is my sister.
④ _____ is very hot today.
⑤ _____ is bright in the store.

5
① How _____ chairs do you have?
② How _____ carrots does he buy?
③ How _____ money do we need?
④ How _____ rooms do you clean?
⑤ How _____ books does she borrow?

[8~10] 다음 밑줄 친 부분이 잘못 쓰인 것을 고르세요.

8
① Who is your uncle?
② Whose camera is this?
③ Who brother is he?
④ Whose letters are these?
⑤ Who does he teach?

9
① Let's meet at Thursday.
② We can see snow in winter.
③ The movie starts at 7 o'clock.
④ I take a shower in the evening.
⑤ Wash your hands before breakfast.

10
① We shouldn't drink this water.
② He must wears a helmet.
③ Should I call her tomorrow?
④ You must not open the door.
⑤ They should write their names.

Study Plan! 2달 만에 한 권 완성하기 ③

★ 하루에 45분씩, 주 5일 학습 기준입니다. 계획표에 적힌 날짜별 학습 목표에 맞춰 공부해 보세요.

Week 1	Day 1	Day 2	Day 3	Day 4	Day 5
Unit 1	Lesson 1 개념 확인 Step 1	Step 2 Step 3 Step 4	Lesson 2 개념 확인 Step 1	Step 2 Step 3 Step 4	실전 테스트 Workbook
Week 2	**Day 1**	**Day 2**	**Day 3**	**Day 4**	**Day 5**
Unit 2	Lesson 1 개념 확인 Step 1	Step 2 Step 3 Step 4	Lesson 2 개념 확인 Step 1	Step 2 Step 3 Step 4	실전 테스트 Workbook
Week 3	**Day 1**	**Day 2**	**Day 3**	**Day 4**	**Day 5**
Unit 3	Lesson 1 개념 확인 Step 1	Step 2 Step 3 Step 4	Lesson 2 개념 확인 Step 1	Step 2 Step 3 Step 4	실전 테스트 Workbook
Week 4	**Day 1**	**Day 2**	**Day 3**	**Day 4**	**Day 5**
Unit 4	Lesson 1 개념 확인 Step 1	Step 2 Step 3 Step 4	Lesson 2 개념 확인 Step 1	Step 2 Step 3 Step 4	실전 테스트 Workbook

Week 1	Day 1	Day 2	Day 3	Day 4	Day 5
Unit 5	Lesson 1 개념 확인 Step 1	Step 2 Step 3 Step 4	Lesson 2 개념 확인 Step 1	Step 2 Step 3 Step 4	실전 테스트 Workbook
Week 2	**Day 1**	**Day 2**	**Day 3**	**Day 4**	**Day 5**
Unit 6	Lesson 1 개념 확인 Step 1	Step 2 Step 3 Step 4	Lesson 2 개념 확인 Step 1	Step 2 Step 3 Step 4	실전 테스트 Workbook
Week 3	**Day 1**	**Day 2**	**Day 3**	**Day 4**	**Day 5**
Unit 7	Lesson 1 개념 확인 Step 1	Step 2 Step 3 Step 4	Lesson 2 개념 확인 Step 1	Step 2 Step 3 Step 4	실전 테스트 Workbook
Week 4	**Day 1**	**Day 2**	**Day 3**	**Day 4**	**Day 5**
Unit 8	Lesson 1 개념 확인 Step 1	Step 2 Step 3 Step 4	Lesson 2 개념 확인 Step 1	Step 2 Step 3 Step 4	실전 테스트 Workbook

종합 테스트 정답

1 ⑤ **2** ⑤ **3** ④ **4** ③ **5** ③ **6** ① **7** ④ **8** ③ **9** ① **10** ② **11** ② **12** ④ **13** ③
14 ④ **15** ④ **16** May **17** There aren't[are not] any eggs in the basket. **18** The table is next to the
sofa. **19** Peter is going into the building. **20** Let's not throw the ball.

Study Check! 나의 학습 기록하기

★ 공부한 날짜를 적고 학습을 마친 후에 스티커를 붙여 주세요. 복습을 했을 때는 한 번 더 붙이세요.

Week 1	Day 1 (월 일)	Day 2 (월 일)	Day 3 (월 일)	Day 4 (월 일)	Day 5 (월 일)
Unit 1					
Week 2	Day 1 (월 일)	Day 2 (월 일)	Day 3 (월 일)	Day 4 (월 일)	Day 5 (월 일)
Unit 2					
Week 3	Day 1 (월 일)	Day 2 (월 일)	Day 3 (월 일)	Day 4 (월 일)	Day 5 (월 일)
Unit 3					
Week 4	Day 1 (월 일)	Day 2 (월 일)	Day 3 (월 일)	Day 4 (월 일)	Day 5 (월 일)
Unit 4					

Week 1	Day 1 (월 일)	Day 2 (월 일)	Day 3 (월 일)	Day 4 (월 일)	Day 5 (월 일)
Unit 5					
Week 2	Day 1 (월 일)	Day 2 (월 일)	Day 3 (월 일)	Day 4 (월 일)	Day 5 (월 일)
Unit 6					
Week 3	Day 1 (월 일)	Day 2 (월 일)	Day 3 (월 일)	Day 4 (월 일)	Day 5 (월 일)
Unit 7					
Week 4	Day 1 (월 일)	Day 2 (월 일)	Day 3 (월 일)	Day 4 (월 일)	Day 5 (월 일)
Unit 8					

학습을 마친 후 스티커 를 붙여 주세요.

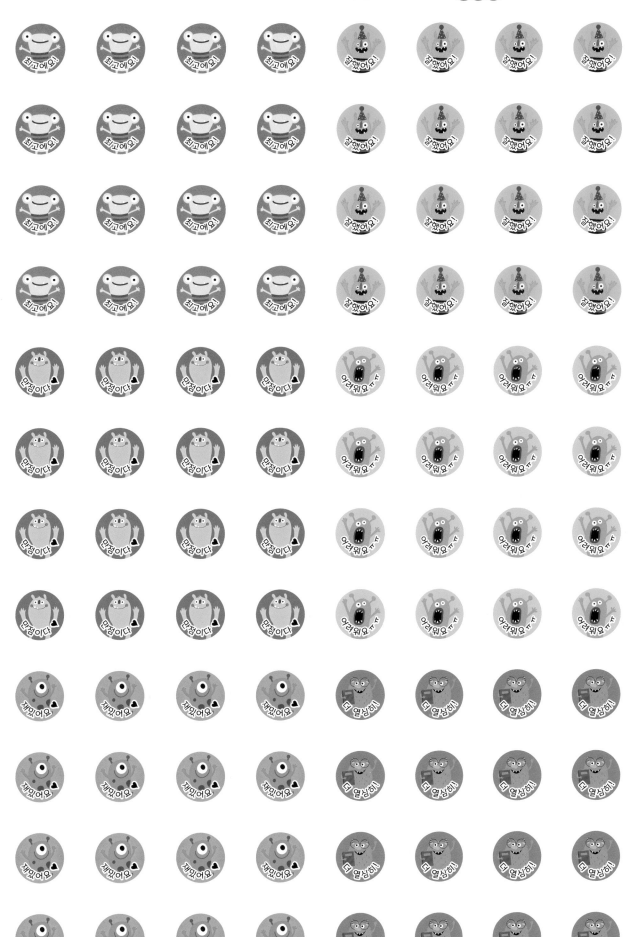

쓰면서 강해지는

초등 영문법 ③

Structures 구성과 특징

1 개념 설명 & 개념 확인

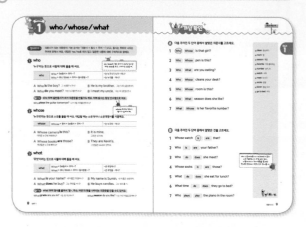

★ 초등 필수 문법 개념을 이해하기 쉽도록 친절하고 자세하게 설명하였습니다. 다양한 예문을 통해 문법이 어떻게 적용되는지를 알 수 있습니다.

★ 본격적인 문제 풀이를 하기 전에 기초적인 선택형 문제를 풀면서 문법의 기본 개념을 잘 이해했는지 확인합니다.

2 STEP 1 & STEP 2

★ 우리말 뜻을 보고 빈칸에 알맞은 말을 쓰는 문제입니다. 문법 개념을 문장에 적용하는 훈련을 통해 문법 규칙을 익힐 수 있습니다.

★ 틀린 부분을 바르게 고쳐 쓰는 문제입니다. 문법의 쓰임이 맞는지 틀린지를 판단하면서 아직 이해하지 못한 부분이 없는지 점검합니다.

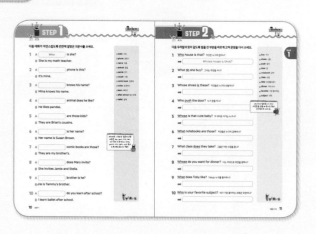

3 STEP 3 & STEP 4

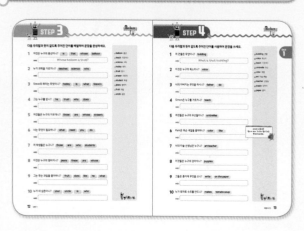

★ 주어진 단어를 배열하여 문장을 완성하거나 지시에 따라 문장을 바꿔 쓰는 문제입니다. 문장 전체를 쓰는 연습을 통해 영어 문장 구조를 자연스럽게 학습할 수 있습니다.

★ 제시된 단어와 우리말 뜻을 보고 문장을 쓰는 문제입니다. 문장 구성 및 영작 능력을 키울 수 있습니다.

4 실전 테스트

★ 해당 UNIT에서 학습한 내용을 종합적으로 확인하는 단계로, 다양한 유형의 문제들을 풀면서 실전 감각을 키울 수 있습니다.

★ 테스트 마지막에 제시되는 서술형 문제를 통해 문법 응용 능력을 높이고 중학 내신으로 이어지는 서술형 학습에 대비할 수 있습니다.

5 워크북 - 단어

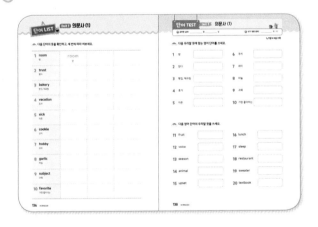

★ UNIT별 단어 리스트를 보면서 중요한 단어들을 한 번 더 확인하고, 따라 쓰는 연습을 하며 단어의 철자와 뜻을 자연스럽게 외우게 됩니다.

★ 단어의 스펠링 쓰기와 우리말 뜻 쓰기 테스트를 통해 모르는 단어가 없는지 점검하고 어휘 학습을 마무리 합니다.

6 워크북 - 해석 & 영작

★ UNIT별 핵심 문장들을 우리말로 해석하는 문제입니다. 문법의 쓰임과 단어의 의미를 바르게 이해하였는지 확인할 수 있습니다.

★ 문법 개념을 적용하여 영작하는 단계입니다. 통문장 쓰기 연습을 통해 영작 실력을 높이고 문장 구조를 자연스럽게 이해할 수 있습니다.

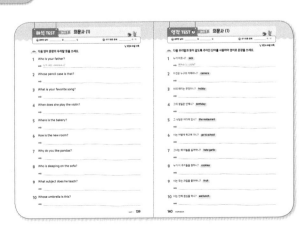

Contents 차례

Curriculum 시리즈 구성

<쓰면서 강해지는 초등 영문법> 시리즈는 학습 단계에 따라 총 4권으로 구성되어 있습니다. 한 권당 8개의 UNIT이 있으며, 각 UNIT이 끝난 후 학습한 내용을 확인할 수 있는 실전 테스트가 수록되어 있습니다. 일주일에 1개의 UNIT씩 학습하여 2달 동안 한 권, 8달 동안 4권 전체를 학습할 수 있습니다.

Preview  알아두기

>>> 의문사란? '누가, 언제, 어디서, 무엇을, 어떻게, 왜'라는 것에 대해 물어볼 때 사용해요.

>>> 전치사란? 명사나 대명사 앞에 쓰여서 장소, 방향, 시간 등 여러 가지 뜻을 나타내요.

★ 의문사

who	누구	**Who** is the boy? 그 소년은 누구니?
whose	누구의	**Whose** camera is this? 이것은 누구의 카메라니?
what	무엇	**What** is your name? 너의 이름은 무엇이니?
when	언제(시간, 날짜)	**When** is your birthday? 너의 생일은 언제니?
where	어디에, 어디서(장소)	**Where** is the cat? 그 고양이는 어디에 있니?
how	어떤(상태), 어떻게(방법)	**How** do you go to school? 너는 어떻게 학교에 가니?
why	왜(이유)	**Why** do you like pizza? 너는 왜 피자를 좋아하니?

★ 전치사

in ~에(넓은 장소)	**in** Busan(부산에)	in 월, 연도, 계절	**in** May(5월에)
at ~에(좁은 장소)	**at** the park(공원에)	at 구체적인 시간	**at** 3 o'clock(3시 정각에)
on ~ 위에	**on** the desk(책상 위에)	on 요일, 날짜, 특정한 날	**on** May 4th(5월 4일에)
in front of ~ 앞에	**in** front of the door(문 앞에)	before ~ 전에	**before** Monday(월요일 전에)
behind ~ 뒤에	**behind** the tree(나무 뒤에)	after ~ 후에	**after** lunch(점심 식사 후에)
up ~ 위로	**up** the street(길 위쪽으로)	about ~에 관한	**about** animals(동물에 관한)
down ~ 아래로	**down** the ladder(사다리 아래로)	with ~와 함께, ~을 가지고	**with** a ball(공을 가지고)
under ~ 아래에	**under** the table(탁자 아래에)	for ~를 위해	**for** my friend(내 친구를 위해)
across ~을 가로질러	**across** the sky(하늘을 가로질러)	by ~을 타고	**by** train(기차를 타고)
into ~ 안으로	**into** the house(집 안으로)	to ~로, ~까지	**to** school(학교로)
next to ~ 옆에	**next to** the bench(벤치 옆에)	from ~에서, ~로부터	**from** the river(강으로부터)

의문사 (1)

Lesson 1 who / whose / what

Lesson 2 when / where / how / why

의문사란 궁금한 정보를 물어볼 때 사용하는 말이에요. '누가, 언제, 어디서, 무엇을, 어떻게, 왜'라는
6하 원칙에 관련된 정보를 알고 싶을 때 의문사를 사용한 의문문으로 물어볼 수 있어요.

who / whose / what

• 알아두기 • 의문사가 있는 의문문의 기본 순서는 「의문사 + 동사 + 주어 ~?」이고, 동사는 뒤따라 나오는 주어에 맞춰서 써요. 대답은 Yes/No로 하지 않고 질문한 내용에 대해 구체적으로 말해요.

1 who

'누구'라는 뜻으로 사람에 대해 물을 때 써요.

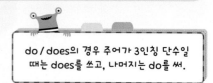

do / does의 경우 주어가 3인칭 단수일 때는 does를 쓰고, 나머지는 do를 써.

who	Who + be동사 + 주어 ~? Who + do / does + 주어 + 동사원형 ~?	~는 누구니? / 누가 ~이니? ~는 누구를 …하니?

A **Who is** the boy? 그 소년은 누구니?　　B He is my brother. 그는 나의 남동생이야.

A **Who do** you meet? 너는 누구를 만나니?　　B I meet my uncle. 나는 내 삼촌을 만나.

⌜Tip⌝ who 뒤에 일반동사가 와서 의문문을 만들기도 해요. 이때 동사는 항상 단수형으로 써요.

Who plays the guitar tomorrow? 누가 내일 기타를 연주하니?

2 whose

'누구의'라는 뜻으로 소유를 물을 때 써요. 대답할 때는 소유격이나 소유대명사를 사용해요.

whose	Whose + 명사 + be동사 + 주어 ~?	~는 누구의 …이니?

A **Whose camera is** this?
이것은 누구의 카메라니?

B It is mine.
그것은 내 거야.

A **Whose books are** those?
저것들은 누구의 책이니?

B They are Kevin's.
그것들은 Kevin의 것이야.

3 what

'무엇'이라는 뜻으로 사물에 대해 물을 때 써요.

whose 뒤에는 반드시 명사가 있어야 해.

what	What + be동사 + 주어 ~? What + do / does + 주어 + 동사원형 ~?	~은 무엇이니? ~은 무엇을 …하니?

A **What is** your name? 네 이름은 무엇이니?　　B My name is Sumin. 내 이름은 수민이야.

A **What does** he buy? 그는 무엇을 사니?　　B He buys candles. 그는 양초를 사.

⌜Tip⌝ what 뒤에 명사를 붙여서 '몇~, 무슨, 어떤'의 뜻을 나타내는 의문문을 만들 수도 있어요.

What grade are you in? 너는 몇 학년이니?　　**What season** do you like? 너는 어떤 계절을 좋아하니?

A 다음 주어진 두 단어 중에서 알맞은 의문사를 고르세요.

1 (Who) Whose is that girl?

2 Who Whose pen is this?

3 Who What are you eating?

4 Who Whose cleans your desk?

5 Who Whose room is this?

6 Who What season does she like?

7 What Whose is her favorite number?

★ clean 청소하다

★ room 방

★ season 계절

★ favorite 가장 좋아하는

★ number 숫자, 수

★ watch 시계

★ meet 만나다

★ socks 양말

★ lunch 점심 식사

★ go to bed 자다

B 다음 주어진 두 단어 중에서 알맞은 것을 고르세요.

1 Whose watch (is) are that?

2 Who is are your father?

3 Who do does she meet?

4 Whose socks is are those?

5 What do does she eat for lunch?

6 What time do does they go to bed?

7 Who plays play the piano in the room?

Who 다음에 be동사나 do [does]가 없이
바로 일반동사가 쓰일 때도 있어.
이렇게 who가 주어 역할을 할 때는
현재형 문장에서 3인칭 단수 동사를 써.

의문사 (1) **9**

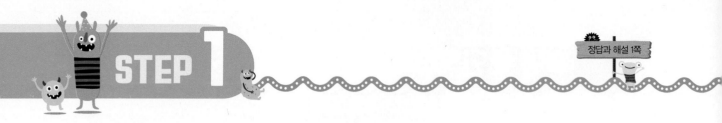

다음 대화가 자연스럽도록 빈칸에 알맞은 의문사를 쓰세요.

1 A [Who] is she?

   B She is my math teacher.

2 A [   ] phone is this?

   B It's mine.

3 A [   ] knows his name?

   B Mina knows his name.

4 A [   ] animal does he like?

   B He likes pandas.

5 A [   ] are those kids?

   B They are Brian's cousins.

6 A [   ] is her name?

   B Her name is Susan Brown.

7 A [   ] comic books are those?

   B They are my brother's.

8 A [   ] does Mary invite?

   B She invites Jamie and Stella.

9 A [   ] brother is he?

   B He is Tammy's brother.

10 A [   ] do you learn after school?

   B I learn ballet after school.

★ math 수학
★ phone 전화기
★ name 이름
★ animal 동물
★ panda 판다
★ cousin 사촌
★ comic book 만화책
★ invite 초대하다
★ learn 배우다
★ after school 방과 후에
★ ballet 발레

Whose로 시작하는 질문에 대한 대답은 my, your, his, her, our 등의 소유격이나 mine, yours, his, hers, ours 등의 소유대명사를 써서 말해.

다음 우리말과 뜻이 같도록 밑줄 친 부분을 바르게 고쳐 문장을 다시 쓰세요.

★ buy 사다
★ shoes 신발
★ push 밀다
★ door 문
★ notebook 공책
★ class 수업
★ take (수업을) 듣다
★ dinner 저녁 식사
★ favorite 가장 좋아하는
★ subject 과목

1 <u>Who</u> house is that? 저것은 누구의 집이니?

➡ Whose house is that?

2 What <u>do</u> she buy? 그녀는 무엇을 사니?

➡

3 Whose shoes <u>is</u> these? 이것들은 누구의 신발이니?

➡

4 Who <u>push</u> the door? 누가 문을 미니?

➡

> who 뒤에 일반동사가 와서
> 의문문을 만들 때 동사는 항상
> 단수형으로 써야 해.

5 <u>Whose</u> is that cute baby? 저 귀여운 아기는 누구니?

➡

6 <u>What</u> notebooks are those? 저것들은 누구의 공책이니?

➡

7 What class <u>does</u> they take? 그들은 어떤 수업을 듣니?

➡

8 <u>Whose</u> do you want for dinner? 너는 저녁으로 무엇을 원하니?

➡

9 <u>What</u> does Toby like? Toby는 누구를 좋아하니?

➡

10 <u>Who</u> is your favorite subject? 네가 가장 좋아하는 과목은 무엇이니?

➡

다음 우리말과 뜻이 같도록 주어진 단어를 배열하여 문장을 완성하세요.

1 저것은 누구의 풍선이니?   is   that   whose   balloon

➡ Whose balloon is that?

2 누가 과학을 가르치니?   teaches   science   who

➡

3 Steve의 취미는 무엇이니?   hobby   is   what   Steve's

➡

4 그는 누구를 믿니?   he   trust   who   does

➡

5 저것들은 누구의 지우개니?   those   are   whose   erasers

➡

6 너는 무엇이 필요하니?   what   need   you   do

➡

7 저 학생들은 누구니?   those   are   who   students

➡

8 이것은 누구의 청바지니?   jeans   these   are   whose

➡

9 그는 무슨 과일을 좋아하니?   fruit   does   like   he   what

➡

10 누가 네 삼촌이니?   your   uncle   is   who

➡

★ balloon 풍선

★ teach 가르치다

★ science 과학

★ hobby 취미

★ trust 믿다

★ eraser 지우개

★ student 학생

★ jeans 청바지

★ fruit 과일

★ uncle 삼촌

STEP 4

정답과 해설 1쪽

다음 우리말과 뜻이 같도록 주어진 단어를 사용하여 문장을 쓰세요.

Unit 1

★ building 건물
★ voice 목소리
★ teach 가르치다
★ umbrella 우산
★ color 색깔
★ art 미술, 예술
★ teacher 선생님
★ puppy 강아지
★ paper 종이

1 저 건물은 무엇이니? building

➡ What is that building?

2 이것은 누구의 목소리니? voice

➡

3 너의 아버지는 무엇을 하시니? father   do

➡

4 Simon은 누구를 가르치니? teach

➡

5 저것들은 누구의 우산들이니? umbrellas

➡

6 Pam은 무슨 색깔을 좋아하니? color   like

➡

whose 다음에는 명사가 와서 '누구의 명사'라는 뜻으로 해석돼.

7 너의 미술 선생님은 누구니? art teacher

➡

8 이것들은 누구의 강아지니? puppies

➡

9 그들은 종이에 무엇을 쓰니? write   on the paper

➡

10 누가 토마토 수프를 만드니? makes   tomato soup

➡

when / where / how / why

• 알아두기 • 의문사가 있는 의문문은 문장 맨 앞에 의문사를 써서 「의문사 + be동사 + 주어 ~?」 또는 「의문사 + do/does + 주어 + 동사원형 ~?」 순서로 써요.

의문사	when	where	how	why
의미	언제(시간, 날짜)	어디에, 어디서(장소)	어떤(상태), 어떻게(방법)	왜(이유)

1 when

'언제'라는 뜻으로 시간이나 날짜를 물을 때 써요.

A **When is** your birthday? 네 생일은 언제니? B It's next Monday. 다음 주 월요일이야.

A **When do** you eat lunch?   B I eat lunch at 12 o'clock.
너는 언제 점심을 먹니?   나는 12시에 점심을 먹어.

2 where

'어디에, 어디서'라는 뜻으로 장소를 물을 때 써요.

A **Where is** the cat? 고양이는 어디에 있니? B It's under the chair. 그것은 의자 밑에 있어.

A **Where does** she work?   B She works at the library.
그녀는 어디에서 일하니?   그녀는 도서관에서 일해.

3 how

'어떤, 어떻게'의 뜻으로 상태나 방법을 물을 때 써요.

A **How's** the weather? 날씨가 어때? B It's cloudy. 흐려.

A **How do** you go to school?   B I go to school by bus.
너는 어떻게 학교에 가니?   나는 버스를 타고 학교에 가.

4 why

'왜'라는 뜻으로 이유를 물을 때 써요. 대답할 때는 주로 '~이기 때문이다'라는 뜻의 because를 써요.

A **Why is** the baby crying?   B **Because** he is hungry.
그 아기는 왜 울고 있니?   그는 배가 고프기 때문이야.

A **Why do** you like pizza?   B **Because** it tastes good.
너는 왜 피자를 좋아하니?   그것이 맛있기 때문이야.

Unit
1

A 다음 주어진 두 단어 중에서 알맞은 의문사를 고르세요.

1 (How) Why   are you?

2 Why   Where   do you call me?

3 When   Where   are my textbooks?

4 When   Where   is his birthday?

5 When   Where   is the restaurant?

6 How   Where   do you go to the museum?

★ textbook 교과서
★ birthday 생일
★ restaurant 식당
★ museum 박물관
★ weather 날씨
★ sunny 맑은, 화창한
★ wallet 지갑
★ city 도시
★ by train 기차를 타고
★ on Sundays
  일요일마다
★ hungry 배고픈

B 다음 의문문에 알맞은 대답을 고르세요.

1 A How is the weather?

  B (It is sunny.)   It is Monday.

2 A Where is my wallet?

  B It's mine.   It's on the chair.

3 A Why do you like her?

  B Because she is kind.   I like her very much.

4 A How does she go to Seoul?

  B Seoul is a big city.   She goes there by train.

5 A When do you meet Jake?

  B Because I like him.   I meet him on Sundays.

6 A Why do you buy the food now?

  B Because I'm hungry.   I buy some food.

이유를 묻는 의문사 why가 쓰인 의문문에 대한 대답은 '~하기 때문이다'라는 뜻의 because와 함께 써.

의문사 (1)   **15**

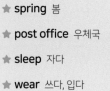
정답과 해설 2쪽

다음 우리말과 같은 뜻이 되도록 빈칸에 알맞은 의문사를 쓰세요.

1 너는 왜 봄을 좋아하니?

➡ [Why] do you like spring?

2 우체국은 어디에 있니?

➡ [　　] is the post office?

3 그녀는 어떻게 집에 가니?

➡ [　　] does she go home?

4 너는 언제 자니?

➡ [　　] do you sleep?

5 수빈이는 왜 너의 모자를 쓰고 있니?

➡ [　　] is Subin wearing your hat?

6 너의 건강은 어떠니?

➡ [　　] is your health?

7 너는 어디서 버스를 타니?

➡ [　　] do you take the bus?

8 도서관은 언제 여니?

➡ [　　] does the library open?

9 그는 어디에서 오렌지 주스를 사니?

➡ [　　] does he buy orange juice?

10 너는 어떻게 그의 전화번호를 아니?

➡ [　　] do you know his phone number?

- ★ spring 봄
- ★ post office 우체국
- ★ sleep 자다
- ★ wear 쓰다, 입다
- ★ hat 모자
- ★ health 건강
- ★ library 도서관
- ★ open 열다
- ★ phone number
  전화번호

다음 밑줄 친 부분을 바르게 고쳐 문장을 다시 쓰세요.

1 A <u>Why</u> is her birthday?

   B It is on May 2nd.

➡ [When is her birthday?]

2 A <u>How</u> is Mandy crying?

   B Because she is sick.

➡ [ ]

3 A <u>When</u> are they going?

   B They are going to the park.

➡ [ ]

4 A <u>Where</u> is this sweater?

   B It's pretty.

➡ [ ]

5 A <u>When</u> do they study?

   B They study in the classroom.

➡ [ ]

6 A <u>Why</u> does Tim go there?

   B He goes there by plane.

➡ [ ]

7 A <u>How</u> does she like winter?

   B Because she likes snow.

➡ [ ]

8 A <u>Where</u> do you take the bus?

   B I take the bus every morning.

➡ [ ]

★ May 5월

★ 2nd 제 2, 두 번째
   (= second)

★ cry 울다

★ sick 아픈

★ park 공원

★ sweater 스웨터

★ pretty 예쁜

★ classroom 교실

★ there 그곳에

★ by plane 비행기를 타고

★ winter 겨울

★ snow 눈

1번의 2nd는 '제2의,
두 번째의 것'이란 뜻이야.
이렇게 순서를 나타내는
말을 '서수'라고 하는데
날짜를 나타낼 때 쓰기도 해.
(1st, 2nd, 3rd ...)

다음 우리말과 뜻이 같도록 주어진 단어를 배열하여 문장을 완성하세요.

1 그녀는 왜 기분이 안 좋니? is upset she why

➡ Why is she upset?

2 그 스테이크는 어떠니? the how steak is

➡

3 그들은 어디에서 수영을 하니? they swim do where

➡

4 너는 왜 마늘을 싫어하니? garlic why hate you do

➡

5 어린이날은 언제니? is when Children's Day

➡

6 새 방은 어떠니? room how new is the

➡

7 그들은 왜 소리 지르고 있니? are why yelling they

➡

8 너는 언제 축구를 하니? you when play do soccer

➡

9 너는 어떻게 피자를 만드니? do pizza you make how

➡

10 그 빵집은 언제 여니? the open bakery when does

➡

★ upset 기분이 안 좋은

★ steak 스테이크

★ hate 싫어하다

★ garlic 마늘

★ Children's Day 어린이날

★ yell 소리 지르다

★ soccer 축구

★ bakery 빵집, 제과점

STEP 4

정답과 해설 2쪽

다음 우리말과 뜻이 같도록 주어진 단어를 사용하여 문장을 쓰세요.

1 그 영화는 어떠니? the movie

➡ How is the movie?

2 Lucas는 어디에 사니? live

➡

3 그는 왜 그 책을 읽니? read the book

➡

4 너는 어떻게 쿠키를 만드니? make cookies

➡

5 화장실은 어디에 있니? the restroom

➡

6 너의 여름 휴가는 언제니? summer vacation

➡

7 그들은 왜 화가 났니? angry

➡

8 날씨가 어떠니? the weather

➡

9 그는 언제 학교에 가니? go to school

➡

10 너는 왜 도서관에서 공부하니? study in the library

➡

★ movie 영화
★ make 만들다
★ cookie 쿠키
★ restroom 화장실
★ summer 여름
★ vacation 휴가
★ angry 화난
★ weather 날씨
★ library 도서관

의문문을 만들 때 do, does와 be동사는 주어에 맞게 써야 해.

의문사 (1) **19**

실전 테스트

1 다음 빈칸에 들어갈 말로 알맞은 것을 고르세요.

> _____ toys are these?

① Why   ② Who
③ Whose   ④ When
⑤ Where

★ toy 장난감

2 다음 빈칸에 들어갈 말로 알맞지 <u>않은</u> 것을 고르세요.

> _____ does she learn English?

① Why   ② How
③ When   ④ Whose
⑤ Where

★ learn 배우다

3 다음 빈칸에 공통으로 알맞은 것을 고르세요.

> • _____ sport do you like?
> • _____ are you eating now?

① Who   ② When
③ What   ④ Whose
⑤ Whom

★ sport 운동, 경기

4 다음 빈칸에 들어갈 말이 나머지와 <u>다른</u> 것을 고르세요.

① _____ is that woman?
② _____ teaches history?
③ _____ is his name?
④ _____ do you meet?
⑤ _____ are those children?

★ teach 가르치다
★ history 역사

5 다음 빈칸에 알맞은 말을 바르게 짝지은 것을 고르세요.

> • _____ is your favorite subject?
> • _____ does your English class begin?

① Why — Why   ② Who — When
③ What — When   ④ When — Why
⑤ Where — How

★ favorite 가장 좋아하는
★ subject 과목
★ class 수업
★ begin 시작하다

6 다음 짝지어진 대화가 <u>어색한</u> 것을 고르세요.

① A Whose cell phone is this?
　 B It is Jane's.
② A Who makes your lunch?
　 B My mom makes my lunch.
③ A What color do you like?
　 B I like purple.
④ A Who remembers his name?
　 B I remember his name.
⑤ A Where do you play soccer after school?
　 B Because I like soccer.

★ cell phone 휴대폰
★ purple 보라색
★ remember 기억하다
★ after school 방과 후에

[7~8] 다음 중 <u>잘못된</u> 문장을 고르세요.

7 ① Who likes this story?
② Whose towel is this?
③ Who photos are these?
④ What time does he go to school?
⑤ What do you do this weekend?

★ story 이야기
★ towel 수건
★ photo 사진
★ weekend 주말

8 ① When do she cook?
② Where are my socks?
③ How do you know her sister?
④ Where does Steven live?
⑤ Why are you smiling?

★ cook 요리하다
★ socks 양말
★ smile 웃다

[9~12] 다음 대화를 보고, 대답에 맞는 질문이 되도록 빈칸에 알맞은 말을 쓰세요.

9

A [ ] [ ] are these?

B They are Minho's gloves.

★ gloves 장갑

10

A [ ] [ ] you drink in the morning?

B I drink a cup of milk in the morning.

★ a cup of 한 잔의

11

A [ ] [ ] Mike go to school?

B He goes to school by bike.

★ go to school
학교에 가다
★ by bike 자전거를 타고

12

A [ ] [ ] you at home?

B Because I'm sick.

★ sick 아픈

UNIT 2

의문사 (2)

Lesson 1 How + 형용사 / 부사
Lesson 2 How many와 How much

어떤 것의 '정도'나 '방법'에 대해 물어볼 때 의문사 How를 사용해요. 「How + 형용사 / 부사」 혹은 「How many」와 「How much」로 어떤 것의 정도 또는 개수나 양에 대해 물어볼 수 있어요.

How + 형용사 / 부사

• 알아두기 •
「How + 형용사/부사」는 '얼마나 ~한/하게'라는 뜻으로, 어떠한 것의 '정도'를 물어볼 때 쓰는 표현이에요.

1 How + 형용사 ~?

「How + 형용사」 다음에 「동사 + 주어」를 써서 '얼마나 ~한'이라는 뜻을 나타내요.

| How old | 몇 살 (나이) | How long | 얼마나 긴 (길이) |
| How far | 얼마나 먼 (거리) | How tall | 얼마나 키가 큰 (높이) |

How old are you? 너는 몇 살이니?

How far is the park? 공원은 얼마나 머니?

How long is the dress? 그 드레스는 얼마나 기니?

How tall is your sister? 너의 여동생은 얼마나 키가 크니?

✏️ Tip 형용사란 무엇일까요?

• '~한'이라는 뜻으로 사람이나 사물의 모양·상태·성질 등을 나타내는 말이에요.

• 명사를 꾸며주거나 동사의 의미를 보충해 주는 역할을 해요.

2 How + 부사 ~?

「How + 부사」 다음에 「동사 + 주어」를 써서 '얼마나 ~하게'라는 뜻을 나타내요.

| How fast | 얼마나 빨리 | How long | 얼마나 오래 (기간) |
| How early | 얼마나 일찍 | How often | 얼마나 자주 |

How fast do you run? 너는 얼마나 빨리 달리니?

How early does she get up? 그녀는 얼마나 일찍 일어나니?

How long do you sleep at night? 너는 밤에 얼마나 오랫동안 자니?

How often does he drink coffee? 그는 얼마나 자주 커피를 마시니?

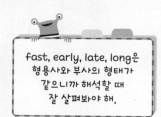

fast, early, late, long은 형용사와 부사의 형태가 같으니까 해석할 때 잘 살펴봐야 해.

✏️ Tip 부사란 무엇일까요?

• '~하게'라는 뜻으로 시간·장소·방법·정도 등에 대해 보충해서 설명해 주는 말이에요.

• 동사, 형용사, 부사 혹은 문장 전체를 꾸며주는 역할을 해요.

Unit
2

A 다음 주어진 두 단어 중에서 알맞은 의문사를 고르세요.

1 How (What) food do you like?

2 How What smart is the dog?

3 How What far is the airport?

4 How What sport do you like?

5 How What strong is the rope?

6 How What long do you stay there?

7 How What magazine are you reading?

★ smart 똑똑한
★ far 먼, 멀리
★ airport 공항
★ sport 운동
★ strong 튼튼한
★ rope 끈, 줄
★ stay 머무르다
★ magazine 잡지
★ river 강
★ nephew (남자) 조카
★ leave 떠나다
★ post office 우체국
★ exercise 운동하다
★ watch 보다, 시청하다

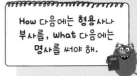
How 다음에는 형용사나 부사를, What 다음에는 명사를 써야 해.

B 다음 주어진 우리말 뜻을 보고 둘 중 알맞은 것을 고르세요.

1 How far (tall) are you? 키

2 How long early is the river? 길이

3 How old often is your nephew? 나이

4 How big early does he leave? 시간

5 How far late is the post office? 거리

6 How tall often do you exercise? 횟수

7 How old long do you watch TV? 기간

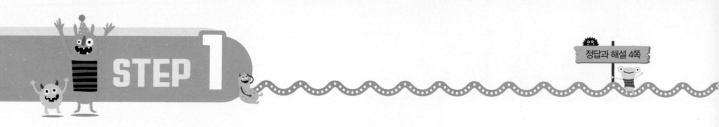

다음 우리말과 뜻이 같도록 주어진 단어를 사용하여 문장을 완성하세요.

1 너는 몇 살이니? old

➡ [How old are] you?

2 날씨가 얼마나 춥니? cold

➡ [   ] the weather?

3 그들은 얼마나 높이 뛰니? high

➡ [   ] they jump?

4 말은 얼마나 빨리 달리니? fast

➡ [   ] a horse run?

5 너는 얼마나 자주 자전거를 타니? often

➡ [   ] you ride a bike?

6 그는 얼마나 천천히 말하니? slowly

➡ [   ] he speak?

7 우주는 얼마나 크니? big

➡ [   ] the universe?

8 그 쿠키들은 얼마나 맛있니? delicious

➡ [   ] the cookies?

9 그녀는 얼마나 오랫동안 수영하니? long

➡ [   ] she swim?

10 너의 학교는 집에서 얼마나 머니? far

➡ [   ] your school from home?

★ old 나이가 ~인
★ cold 추운, 차가운
★ weather 날씨
★ high 높게, 높은
★ jump 뛰다
★ run 달리다
★ ride 타다
★ bike 자전거
★ slowly 천천히
★ speak 말하다
★ universe 우주
★ delicious 맛있는

「how + 형용사」 뒤에는
주로 be동사를 쓰고,
「how + 부사」 뒤에는
주로 do[does]를 써.

26 UNIT 2

다음 밑줄 친 부분을 바르게 고쳐 문장을 다시 쓰세요.

1 A <u>How often</u> does he get up?

B He gets up at 6 a.m.

➡ How early does he get up?

2 A <u>How early</u> does he run?

B He runs very fast like a cheetah.

➡

3 A <u>How long</u> do you exercise?

B I exercise every weekend.

➡

4 A <u>How fast</u> is the bridge?

B It is 500 meters long.

➡

5 A <u>How tall</u> is your father?

B He is 42 years old.

➡

6 A <u>How old</u> is your sister?

B She is 126 centimeters tall.

➡

7 A <u>How big</u> is the bank?

B It is 900 meters from here.

➡

8 A <u>How far</u> do you study math?

B I study math for 2 hours.

➡

★ **get up** 일어나다

★ **cheetah** 치타

★ **exercise** 운동하다

★ **every** ~마다

★ **bridge** 다리

★ **centimeter** 센티미터(cm)

★ **meter** 미터(m)

★ **bank** 은행

★ **math** 수학

★ **hour** 시간

Unit
2

정답과 해설 4쪽

다음 우리말과 뜻이 같도록 주어진 단어를 배열하여 문장을 완성하세요.

1 그 수영장은 얼마나 깊니?

　　is　　the　　how　　pool　　deep

➡ How deep is the pool?

2 거북이는 얼마나 오래 사니?

　　live　　long　　does　　a　　how　　turtle

➡

3 그 나무는 얼마나 높니?

　　is　　the　　tall　　tree　　how

➡

4 그 경기장은 얼마나 크니?

　　stadium　　how　　the　　big　　is

➡

5 이 건물은 얼마나 안전하니?

　　how　　building　　this　　safe　　is

➡

6 그 지하철 역은 얼마나 머니?

　　is　　far　　subway station　　how　　the

➡

7 너는 얼마나 자주 네 방을 청소하니?

　　your room　　often　　clean　　you　　how　　do

➡

8 그는 얼마나 천천히 운전하니?

　　drive　　how　　he　　slowly　　does

➡

★ pool 수영장

★ deep 깊은

★ turtle 거북이

★ stadium 경기장

★ building 건물

★ safe 안전한

★ subway 지하철

★ station 역, 정거장

★ clean 청소하다

★ drive 운전하다

★ slowly 천천히

어떤 '정도'를 물어볼 때는 형용사나 부사 앞에 의문사 How를 쓰면 돼.

다음 우리말과 뜻이 같도록 주어진 단어를 사용하여 문장을 쓰세요.

1 그 상자들은 얼마나 무겁니? heavy   the boxes

➡ How heavy are the boxes?

2 Kathy는 얼마나 빨리 달리니? fast   run

➡

3 그 자는 얼마나 기니? long   the ruler

➡

4 네 장갑은 얼마나 따뜻하니? warm   your gloves

➡

5 Paul은 얼마나 일찍 일어나니? early   get up

➡

6 달은 얼마나 밝니? bright   the moon

➡

7 이 일은 얼마나 어렵니? difficult   this job

➡

8 너는 얼마나 열심히 영어를 공부하니? hard   study English

➡

9 저 당근들은 얼마나 신선하니? fresh   those carrots

➡

10 그는 얼마나 오래 피아노를 연주하니? long   play the piano

➡

★ heavy 무거운
★ ruler 자
★ warm 따뜻한
★ gloves 장갑
★ get up 일어나다
★ bright 밝은
★ moon 달
★ difficult 어려운
★ job 일, 직업
★ hard 열심히
★ fresh 신선한
★ carrot 당근

Unit 2

Lesson 2

How many와 How much

> **• 알아두기 •** How many와 How much는 '얼마나 많은'이라는 뜻으로 '개수'나 '양'에 대해 물을 때 사용하는 표현이에요.

1 How many ~?

'수'를 물을 때 사용하는 표현으로 셀 수 있는 명사의 복수형과 함께 써요.

how many	형태	의미
	How many + 복수명사 + do / does + 주어 + 동사	얼마나 많은

How many books do you have? 너는 얼마나 많은 책을 가지고 있니?

How many oranges does he buy? 그는 얼마나 많은 오렌지를 사니?

> **✏ Tip** 「How many + 복수명사 + are there ~?」
>
> '~에 …가 몇 개(명) 있니?'라는 뜻으로 there 뒤에 장소를 나타내는 말과 함께 써요.
>
> **How many students** <u>are there</u> in the classroom? 교실에 학생들이 몇 명 있니?

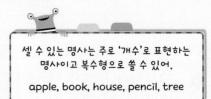

셀 수 있는 명사는 주로 '개수'로 표현하는 명사이고 복수형으로 쓸 수 있어.

apple, book, house, pencil, tree

2 How much ~?

'양'을 물을 때 사용하는 표현으로 셀 수 없는 명사와 함께 써요.

how much	형태	의미
	How much + 셀 수 없는 명사 + do / does + 주어 + 동사	얼마나 많은

How much water do you want? 너는 얼마나 많은 물을 원하니?

How much butter does she need? 그녀는 얼마나 많은 버터가 필요하니?

> **✏ Tip** 「How much + is/are + 명사 ~?」
>
> '~은 얼마니?'라는 뜻으로 가격을 물을 때 쓰는 표현이에요.
>
> **How much is** <u>the book</u>? 그 책은 얼마인가요?
>
> **How much are** <u>these cookies</u>? 이 쿠키들은 얼마인가요?

셀 수 없는 명사는 주로 '양'으로 표현하는 명사이고 복수형으로 쓸 수 없어.

air, time, milk, salt, sugar, money

A 다음 주어진 두 단어 중에서 알맞은 것을 고르세요.

1 How (many) much pens does he want?

2 How many much sugar do you need?

3 How many much sports do you play?

4 How many much bread does she eat?

5 How many much books do they read?

6 How many much people do you know?

7 How many much milk does he drink?

Unit **2**

★ sugar 설탕
★ sport 운동
★ bread 빵
★ people 사람들
★ flower 꽃
★ eraser 지우개
★ basket 바구니
★ pencil 연필

B 다음 주어진 두 단어 중에서 알맞은 것을 고르세요.

1 How much (water) pen do you use?

2 How many juice balls do they have?

3 How much salt flowers does she buy?

4 How many time erasers does he have?

5 How much money baskets do you need?

6 How much cheese hamburgers do you eat?

7 How many paper pencils are there on the desk?

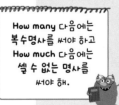

How many 다음에는
복수명사를 써야 하고
How much 다음에는
셀 수 없는 명사를
써야 해.

**다음 우리말과 뜻이 같도록 주어진 단어를 사용하여 문장을 완성하세요.
(필요하면 단어의 형태를 바꾸세요.)**

1 너는 얼마나 많은 의자를 원하니? chair

   ➡ How [many chairs] do you want?

2 우리는 얼마나 많은 버터가 필요하니? butter

   ➡ How [   ] do we need?

3 그는 하루에 얼마나 많은 달걀을 먹니? egg

   ➡ How [   ] does he eat a day?

4 Jack은 얼마나 많은 돈이 있니? money

   ➡ How [   ] does Jack have?

5 그녀는 얼마나 많은 선생님들을 알고 있니? teacher

   ➡ How [   ] does she know?

6 그들은 얼마나 많은 종이가 필요하니? paper

   ➡ How [   ] do they need?

7 그들은 얼마나 많은 수건을 사니? towel

   ➡ How [   ] do they buy?

8 Paul은 얼마나 많은 기름을 원하니? oil

   ➡ How [   ] does Paul want?

9 그녀는 얼마나 많은 커피를 마시니? coffee

   ➡ How [   ] does she drink?

10 너는 얼마나 많은 만화책을 빌리니? comic book

   ➡ How [   ] do you borrow?

★ chair 의자
★ butter 버터
★ a day 하루에
★ teacher 선생님
★ towel 수건
★ oil 기름
★ comic book 만화책
★ borrow 빌리다

주어진 명사가 셀 수 있는
명사인지 셀 수 없는 명사인지
확인하고, many와 much 중
알맞은 것을 쓰면 돼.

다음 밑줄 친 부분을 바르게 고쳐 문장을 다시 쓰세요.

1 How many car does he have?

➡ How many cars does he have?

2 How much jams do you need?

➡

3 How many milk do you want?

➡

4 How many cat do they have?

➡

5 How many sugar do you eat?

➡

6 How much cups does he wash?

➡

7 How many tea does she drink?

➡

8 How much cards do they buy?

➡

9 How many paper do you use?

➡

10 How much coats are there in the closet?

➡

★ jam 잼
★ wash 씻다
★ card 카드
★ use 사용하다
★ coat 코트, 외투
★ closet 옷장

Unit
2

jam, milk, salt, sugar, paper, butter, cheese와 같은 명사는 셀 수 없기 때문에 복수형으로 쓸 수 없어.

의문사 (2) **33**

정답과 해설 5쪽

다음 밑줄 친 부분을 주어진 단어로 바꾸어 문장을 다시 쓰세요.

1 How much <u>paper</u> do you want? notebooks

➡ How many notebooks do you want?

2 How much <u>bread</u> does she eat? cookies

➡

3 How many <u>stamps</u> does Susie have? salt

➡

4 How much <u>flour</u> do you use? candles

➡

5 How many <u>letters</u> do you have? rice

➡

6 How much <u>money</u> do you borrow? books

➡

7 How many <u>bananas</u> does he eat? cheese

➡

8 How much <u>meat</u> do they need? kiwis

➡

9 How much <u>honey</u> does David buy? toothbrushes

➡

10 How many <u>peanuts</u> do you put in the bowl? water

➡

- ★ notebook 공책
- ★ stamp 우표
- ★ salt 소금
- ★ flour 밀가루
- ★ candle 양초
- ★ letter 편지
- ★ borrow 빌리다
- ★ meat 고기
- ★ honey 꿀
- ★ toothbrush 칫솔
- ★ peanut 땅콩
- ★ bowl 그릇

주어진 단어가 셀 수 있는
명사인지 셀 수 없는 명사인지
먼저 구분해야겠지?

정답과 해설 5쪽

다음 우리말과 뜻이 같도록 주어진 단어를 사용하여 문장을 쓰세요.
(필요하면 단어의 형태를 바꾸세요.)

★ coin 동전
★ collect 모으다
★ air 공기
★ class 수업
★ take (수업을) 듣다
★ carry 운반하다, 나르다
★ photo 사진
★ album 앨범

Unit 2

1 이 자동차는 얼마니? this car

➡ How much is this car?

2 너는 얼마나 많은 동전을 모으니? coins collect

➡

3 우리는 얼마나 많은 공기가 필요하니? air need

➡

4 그는 얼마나 많은 도넛을 먹니? doughnut eat

➡

5 너는 얼마나 많은 빵을 사니? bread buy

➡

6 그는 얼마나 많은 수업을 듣니? class take

➡

How many 다음에는
복수형 명사를, How much
다음에는 셀 수 없는 명사를
써야 하는 거 알지?

7 너는 얼마나 많은 수프를 원하니? soup want

➡

8 그것은 얼마나 많은 상자를 운반하니? box carry

➡

9 그녀는 얼마나 많은 주스를 마시니? juice drink

➡

10 앨범에 사진이 몇 장 있니? photo there in the album

➡

1 다음 빈칸에 들어갈 말로 알맞지 <u>않은</u> 것을 고르세요.

> How many _____ do you want?

① plates   ② cheese
③ apples   ④ pictures
⑤ flowers

★ plate 접시
★ picture 그림

2 다음 대화가 자연스럽도록 빈칸에 알맞은 것을 고르세요.

> A How _____ do you go to a museum?
> B I go to a museum every Saturday.

① fast   ② times
③ long   ④ many
⑤ often

★ museum 박물관
★ every ~마다
★ Saturday 토요일

3 다음 우리말과 뜻이 같도록 빈칸에 공통으로 알맞은 것을 고르세요.

> • 너의 학교는 얼마나 머니?
> → _____ far is your school?
> • 너는 얼마나 많은 지우개를 가지고 있니?
> → _____ many erasers do you have?

① How   ② What
③ Who   ④ Where
⑤ Whose

★ far (거리가) 먼
★ eraser 지우개

4 다음 빈칸에 How가 들어갈 수 <u>없는</u> 것을 고르세요.

① _____ pretty is she?
② _____ fast do you run?
③ _____ book do you need?
④ _____ much salt do you buy?
⑤ _____ many friends do you have?

★ pretty 예쁜

정답과 해설 6쪽

5 다음 빈칸에 알맞은 말을 바르게 짝지은 것을 고르세요.

★ letter 편지

> • _____ letters are you writing?
> • _____ bread does your mother make?

① How — How
② How much — How much
③ How many — How much
④ How much — How many
⑤ How many — How many

6 다음 빈칸에 들어갈 말이 나머지 넷과 다른 것을 고르세요.

① How _____ gloves do you buy?
② How _____ butter do you want?
③ How _____ spoons do we need?
④ How _____ rooms does she clean?
⑤ How _____ books does he have?

★ gloves 장갑
★ spoon 숟가락
★ clean 청소하다

7 다음 중 잘못된 문장을 고르세요.

① How old is your father?
② How much is this camera?
③ How often do you watch TV?
④ How many balloons do you want?
⑤ How much rabbits does she have?

★ watch 보다, 시청하다
★ balloon 풍선
★ rabbit 토끼

8 다음 짝지어진 대화가 어색한 것을 고르세요.

① A How far is the stick?
   B It is ten centimeters long.
② A How old is your sister?
   B She is six years old.
③ A How much is this bag?
   B It is ten thousand won.
④ A How many candles do you have?
   B I have four candles.
⑤ A How many puppies does she have?
   B She has two puppies.

★ stick 막대기
★ thousand 천, 1000
★ candle 양초
★ puppy 강아지

의문사 (2) **37**

[9~12] 다음 우리말과 뜻이 같도록 빈칸에 알맞은 말을 쓰세요.

9

네 남동생은 몇 살이니?

➡ ( ) ( )

is your brother?

10

너는 얼마나 자주 컴퓨터 게임을 하니?

➡ ( ) ( )

do you play computer games?

★ often 자주

11

그녀는 얼마나 많은 시계를 가지고 있니?

➡ ( ) ( )

clocks does she have?

★ clock 시계

12

너는 하루에 얼마나 많은 물을 마시니?

➡ ( ) ( )

water do you drink a day?

★ a day 하루에

UNIT 3

조동사 (1)

Lesson 1 조동사 can
Lesson 2 can과 may

조동사란 문장에서 동사를 도와주는 말로, 동사에 특정한 의미를 더해주는 역할을 해요.
조동사 can은 '~할 수 있다'는 '능력'과 '~해도 된다'는 '허락'의 뜻을 나타내고, 허락의 의미로 쓰였을
때는 조동사 may와 바꿔 쓸 수 있어요.

조동사 can

1 can의 뜻과 쓰임

• '~할 수 있다'라는 뜻으로 능력을 나타내는 조동사에요.

• 「주어 + can + 동사원형」의 순서로 쓰고, 주어가 3인칭 단수여도 can에는 -s나 -es를 붙이지 않아요.

Birds **can fly**. 새는 날 수 있다.

He **can play** tennis. 그는 테니스를 칠 수 있다.

주어의 인칭과 수에 상관없이
can 다음에는 항상
동사원형을 써야 해.

2 can의 부정문

부정문	주어 + cannot[can't] + 동사원형 ~.	~할 수 없다

I **cannot play** the piano. 나는 피아노를 칠 수 없다.

She **can't read** an English book. 그녀는 영어책을 읽을 수 없다.

cannot을 줄여서
can't로 쓸 수 있어.

3 can의 의문문

의문문	Can + 주어 + 동사원형 ~?	~할 수 있니?
대답	Yes, 주어[대명사] + can. No, 주어[대명사] + can't.	응, 할 수 있어. 아니, 못 해.

A **Can** you **make** a cake?
너는 케이크를 만들 수 있니?

B Yes, I **can**.
응, 할 수 있어.

A **Can** Judy **sing** this song?
Judy는 이 노래를 부를 수 있니?

B No, she **can't**.
아니, 못 해.

대답할 때는 의문문의 주어가
you이면 I로, 3인칭 단수이면
he / she / it으로, 복수이면
they로 써.

🖉 Tip 「Can I + 동사원형 ~?」은 상대방에게 '~해도 되니?'라고 허락을 구할 때 쓰는 표현이에요.

A **Can** I **borrow** your scissors?
네 가위를 빌려도 되니?

B Yes, you **can**.
응, 그래도 돼.

A **Can** I **park** here?
여기에 주차해도 되나요?

B No, you **can't**.
아니요, 안 돼요.

A 다음 주어진 말 중에서 알맞은 것을 고르세요.

1 He (can play) can plays the guitar.

2 I wait can't   can't wait for you.

3 They can hear   can hears your voice.

4 We can't drive   not can drive a car.

5 Sally can't eats   can't eat peanut butter.

6 Mike carry can   can carry the box.

★ **wait for** ~를 기다리다

★ **hear** 듣다

★ **voice** 목소리

★ **drive** 운전하다

★ **peanut butter** 땅콩 버터

★ **carry** 옮기다

★ **Chinese** 중국어

★ **ride** 타다

★ **borrow** 빌리다

★ **umbrella** 우산

★ **push** 누르다

★ **answer** 대답하다

★ **question** 질문

Unit
3

B 다음 질문에 알맞은 대답을 고르세요.

1 A Can Tom drive a bus?
   B Yes, (he can) he can't .

2 A Can she speak Chinese?
   B Yes, she can   she cans .

3 A Can Judy ride a horse?
   B No, it can't   she can't .

4 A Can I borrow your umbrella?
   B Yes, I can   you can .

5 A Can he push the button?
   B No, he can   he can't .

6 A Can you answer the question?
   B No, I can't   you can't .

질문에 대한 대답이
긍정인지 부정인지
살펴보고 주어에 맞는
대답을 고르면 돼.

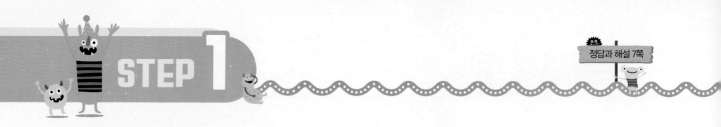

다음 우리말과 뜻이 같도록 주어진 단어를 사용하여 문장을 완성하세요.

1 코끼리들은 날 수 없다. fly

➡ Elephants [can't[cannot] fly] .

2 나는 내 열쇠를 찾을 수 없다. find

➡ I [   ] my key.

3 그는 그 자동차를 수리할 수 있다. fix

➡ He [   ] the car.

4 Julie는 그 병을 열 수 없다. open

➡ Julie [   ] the bottle.

5 그들은 수학을 잘 가르칠 수 있다. teach

➡ They [   ] math well.

6 우리는 그 영화를 볼 수 있다. watch

➡ We [   ] the movie.

7 Sam은 매운 음식을 먹을 수 없다. eat

➡ Sam [   ] spicy food.

8 너는 지금 나를 도와줄 수 있니? help

➡ [   ] me now?

9 내가 너의 사진을 봐도 되니? see

➡ [   ] your photo?

10 Jordan은 중국어를 할 수 있니? speak

➡ [   ] Chinese?

- ★ elephant 코끼리
- ★ find 찾다
- ★ fix 수리하다
- ★ bottle 병
- ★ teach 가르치다
- ★ math 수학
- ★ well 잘
- ★ watch 보다
- ★ spicy 매운
- ★ photo 사진
- ★ Chinese 중국어

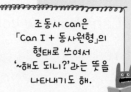

조동사 can은
「Can I + 동사원형」의
형태로 쓰여서
'~해도 되니?'라는 뜻을
나타내기도 해.

정답과 해설 7쪽

다음 우리말과 뜻이 같도록 밑줄 친 부분을 바르게 고쳐 문장을 다시 쓰세요.

1 Bill <u>can plays</u> the flute. Bill은 플루트를 연주할 수 있다.

➡ Bill can play the flute.

2 I <u>not can</u> play golf. 나는 골프를 칠 수 없다.

➡

3 She <u>cans speak</u> French. 그녀는 프랑스어를 할 수 있다.

➡

4 Can Jane <u>eats</u> garlic? Jane은 마늘을 먹을 수 있니?

➡

5 Kate <u>open cannot</u> the door. Kate는 그 문을 열 수 없다.

➡

6 She <u>can sees</u> the building. 그녀는 그 건물을 볼 수 있다.

➡

주어가 3인칭 단수일 때도 조동사 can 다음에는 동사원형을 써야 해!

7 Brian <u>use can't</u> chopsticks. Brian은 젓가락을 사용할 수 없다.

➡

8 Can <u>change I</u> my seat? 내가 자리를 바꿔도 되니?

➡

9 We <u>don't can</u> visit you tomorrow. 우리는 내일 너를 방문할 수 없다.

➡

10 Can we <u>taking</u> a trip together? 우리는 함께 여행을 갈 수 있니?

➡

★ flute 플루트
★ golf 골프
★ French 프랑스어
★ garlic 마늘
★ building 건물
★ chopsticks 젓가락
★ seat 자리, 좌석
★ visit 방문하다
★ tomorrow 내일
★ take a trip 여행하다
★ together 함께

Unit 3

다음 문장을 지시에 맞게 바꿔 쓰세요.

1 I can find the bank. 부정문

➡ I can't[cannot] find the bank.

2 Jennifer can run fast. 의문문

➡

3 We can't go to the party. 긍정문

➡

4 They can clean the windows. 의문문

➡

5 He can play the violin. 부정문

➡

6 You can finish your homework. 의문문

➡

7 My sister can buy the ticket. 부정문

➡

8 Tom can write numbers in English. 의문문

➡

9 You can remember the address. 부정문

➡

10 Steve can't watch the movie. 긍정문

➡

> 긍정문, 부정문, 의문문
> 모두 조동사 다음에는
> 동사원형! 잊지 말자~

- ★ find 찾다
- ★ bank 은행
- ★ clean 청소하다
- ★ window 창문
- ★ finish 끝내다
- ★ homework 숙제
- ★ ticket 표, 입장권
- ★ write 쓰다
- ★ number 숫자
- ★ in English 영어로
- ★ remember 기억하다
- ★ address 주소
- ★ watch 보다

다음 우리말과 뜻이 같도록 주어진 단어를 사용하여 문장을 쓰세요.

1 그는 역사를 가르칠 수 있니? [teach] [history]

➡ Can he teach history?

2 우리는 태양을 볼 수 없다. [see] [the sun]

➡

3 나의 남동생은 수영을 할 수 있다. [my brother] [swim]

➡

4 너는 그 신발을 살 수 있니? [buy] [the shoes]

➡

5 나는 그 기계를 사용할 수 있다. [use] [the machine]

➡

6 Jimmy는 첼로를 연주할 수 있니? [play] [the cello]

➡

조동사 can이 쓰인
문장에서 동사는 항상
동사원형으로 써야 해.

7 그는 그의 여권을 찾을 수 없다. [find] [his passport]

➡

8 그들은 이 문제를 해결할 수 있다. [solve] [this problem]

➡

9 그녀는 샌드위치를 만들 수 있니? [make] [sandwiches]

➡

10 그들은 지금 야구를 할 수 없다. [play] [baseball] [now]

➡

★ teach 가르치다
★ history 역사
★ shoes 신발
★ machine 기계
★ passport 여권
★ solve 해결하다
★ problem 문제
★ baseball 야구

Unit 3

2 can과 may

1 may의 뜻과 쓰임

- may는 '~해도 된다'라는 허락의 뜻을 나타내고, 「주어 + may + 동사원형」의 순서로 써요.
- can이 '능력'이 아닌 '허락'의 의미로 쓰였을 때는 can 대신 may를 쓸 수 있어요.

You **may use** my computer. 너는 내 컴퓨터를 사용해도 된다.

= You **can use** my computer.

You **may come** in. 너는 안으로 들어와도 된다.

= You **can come** in.

> **Tip** may는 '~일지도 모른다'라는 추측의 의미를 나타내기도 해요.

It **may snow** tonight. 오늘 밤에 눈이 올지도 모른다.

She **may not arrive** in time. 그녀는 제 시간에 도착 못할지도 모른다.

2 may의 부정문

부정문	주어 + may not + 동사원형 ~.	~해서는 안 된다

You **may not use** my computer. 너는 내 컴퓨터를 사용해서는 안 된다.
You **may not enter** the building. 너는 그 건물에 들어가서는 안 된다.

may not은
줄여서 쓰지 않아.

3 may의 의문문

주로 주어 I와 함께 쓰여서 어떤 행동을 해도 될지 허락을 구할 때 쓰는 문장이에요.

의문문	May I + 동사원형 ~?	제가 ~해도 되나요?
대답	Yes, you may. No, you may not.	네, 돼요. 아니요, 안 돼요.

A **May I go** to the bathroom?
제가 화장실에 가도 되나요?

B Yes, you **may**.
네, 돼요.

A **May I watch** TV now?
제가 지금 TV를 봐도 되나요?

B No, you **may** not.
아니요, 안돼요.

허락을 구할 때 May를 쓰면
Can으로 물어볼 때 보다
더 공손한 표현이 돼.

정답과 해설 7쪽

A 다음 주어진 말 중에서 알맞은 것을 고르세요.

1 He arrive may (may arrive) early.

2 May sit I May I sit here?

3 It may rain may rains today.

4 She may like mays like the dress.

5 You use may may use the printer.

6 May I visit May I visiting your house?

7 They mayn't go may not go out at night.

- ★ arrive 도착하다
- ★ here 여기에
- ★ printer 프린터
- ★ visit 방문하다
- ★ go out 외출하다
- ★ at night 밤에
- ★ borrow 빌리다
- ★ police officer 경찰관
- ★ wait 기다리다
- ★ office 사무실
- ★ rich 부자인, 부유한
- ★ park 주차하다
- ★ angry 화가 난

Unit
3

> may는 '~해도 된다'는 허락의 뜻으로 쓰이고 '~일지도 모른다'는 추측의 뜻으로도 쓰여.

B 다음 may의 쓰임이 '허락'인지 '추측'인지 고르세요.

1 May I borrow your pen? (허락) 추측

2 You may use my computer. 허락 추측

3 He may be a police officer. 허락 추측

4 You may wait in my office. 허락 추측

5 Jennifer may not be rich. 허락 추측

6 May I park here? 허락 추측

7 She may not be angry. 허락 추측

정답과 해설 8쪽

다음 우리말과 뜻이 같도록 주어진 단어와 may를 사용하여 문장을 완성하세요.

★ soon 곧
★ enter 들어가다
★ sleep 자다
★ win 이기다
★ game 경기, 시합
★ true 사실인, 진실인
★ stay 머무르다
★ wear 입다
★ jacket 재킷
★ sit 앉다
★ ask 묻다
★ question 질문
★ present 선물

1 곧 비가 올지도 모른다. rain

➡ It [may rain] soon.

2 우리는 그 교실에 들어가서는 안 된다. enter

➡ We [   ] the classroom.

3 그들은 그 경기에서 이길지도 모른다. win

➡ They [   ] the game.

4 그 이야기들은 사실이 아닐지도 모른다. be

➡ The stories [   ] true.

5 그는 오늘 우리 집에 머물러도 된다. stay

➡ He [   ] at my house today.

6 너는 내 차를 운전해서는 안 된다. drive

➡ You [   ] my car.

7 너는 내 재킷을 입어도 된다. wear

➡ You [   ] my jacket.

8 제가 여기에 앉아도 되나요? sit

➡ [   ] I [   ] here?

9 내가 너에게 질문 하나를 해도 되니? ask

➡ [   ] I [   ] you a question?

10 제가 지금 선물들을 열어봐도 되나요? open

➡ [   ] I [   ] the presents now?

> 조동사 뒤에 be동사를 쓸 때도 am, is, are가 아닌 원형 'be'로 써야 해.

다음 밑줄 친 부분을 바르게 고쳐 문장을 다시 쓰세요.

1 Judy may <u>sings</u> well.

➡ Judy may sing well.

2 You <u>not may</u> enter the room.

➡

3 May <u>go I</u> to the bathroom?

➡

4 You <u>may going</u> home early today.

➡

5 Bill may <u>not comes</u> to the party.

➡

6 May I <u>taking</u> the history class?

➡

7 They <u>may visit not</u> us tomorrow.

➡

8 She <u>mays</u> be late for the meeting.

➡

9 They <u>may don't</u> take pictures in the library.

➡

10 Students <u>may bringing</u> their lunch from home.

➡

★ sing 노래하다
★ enter 들어가다
★ bathroom 화장실
★ history 역사
★ class 수업
★ visit 방문하다
★ tomorrow 내일
★ be late for ~에 늦다
★ meeting 회의
★ take pictures 사진을 찍다
★ library 도서관
★ bring 가져오다
★ lunch 점심 식사

Unit 3

조동사 may가 쓰인 문장에서 동사는 항상 동사원형으로 써야 해.

조동사 (1)　**49**

다음 문장을 지시대로 바꿔 쓰세요.

1 You may watch the movie. 부정문

➡ You may not watch the movie.

2 I may get up late. 의문문

➡

3 Lucy may not remember his name. 긍정문

➡

4 Jeremy may arrive in time. 부정문

➡

5 I may borrow your watch. 의문문

➡

6 It may not snow in London. 긍정문

➡

> 날씨나 요일을 나타낼 때는
> 주어 자리에 It을 써.

7 She may not eat snacks after dinner. 긍정문

➡

8 You may run in the street. 부정문

➡

9 They may be playing games now. 부정문

➡

10 You may not bring your dog into the room. 긍정문

➡

★ late 늦게
★ remember 기억하다
★ arrive 도착하다
★ in time 제 시간에
★ borrow 빌리다
★ watch 시계
★ snack 간식
★ dinner 저녁 식사
★ street 길, 거리
★ bring 데려오다

정답과 해설 8쪽

다음 우리말과 뜻이 같도록 주어진 단어와 **may**를 사용하여 문장을 완성하세요.

★ test 시험
★ easy 쉬운
★ festival 축제
★ ride 타다
★ seafood 해산물
★ touch 만지다
★ painting 그림

Unit
3

1 제가 당신을 도와드릴까요? help

➡ May I help you?

2 그는 Molly의 아버지일지도 모른다. Molly's father

➡

3 그 시험은 쉽지 않을지도 모른다. the test   easy

➡

4 너는 지금 집에 가도 된다. go home   now

➡

5 그 아기들은 자고 있을지도 모른다. the babies   sleeping

➡

긍정문, 부정문, 의문문
모두 조동사 다음에는
동사원형이 오는 거 알지?

6 너는 그 축제에 가도 된다. go   to the festival

➡

7 내가 그의 자전거를 타도 될까? ride   his bicycle

➡

8 너는 펜을 사용해서는 안 된다. use   a pen

➡

9 그들은 해산물을 먹지 않을지도 모른다. eat   seafood

➡

10 너는 그 그림들을 만져서는 안 된다. touch   the paintings

➡

[1~3] 다음 빈칸에 들어갈 말로 알맞은 것을 고르세요.

1

Can Mr. Wilson _____ English well?

① speak   ② speaks
③ speaking   ④ to speak
⑤ is speaking

★ speak 말하다

2

It _____ tomorrow.

① is rains   ② can rains
③ raining   ④ may rain
⑤ may rains

3

A May I see your passport?
B Yes, _____.

① I can   ② you are
③ I may   ④ you may
⑤ you may not

★ passport 여권

4 다음 빈칸에 Can이 들어갈 수 <u>없는</u> 것을 고르세요.

① _____ I open the window?
② _____ Paul drive a car?
③ _____ he playing the guitar now?
④ _____ she fix the computer?
⑤ _____ you help me tomorrow?

★ drive 운전하다
★ fix 고치다, 수리하다

[5~6] 다음 중 잘못된 문장을 고르세요.

5
① Can he play badminton?
② You can't take this book.
③ She mayn't come back.
④ We can sing this song.
⑤ May I use your camera?

★ take 가져가다
★ come back 돌아오다

6
① She can't comes today.
② Can you watch TV at night?
③ You may go to the party.
④ May I enter the room?
⑤ You cannot take pictures here.

★ at night 밤에
★ enter 들어가다
★ picture 사진

Unit 3

7 다음 밑줄 친 부분과 바꿔 쓸 수 있는 것은?

<u>May</u> I borrow your bicycle?

★ borrow 빌리다
★ bicycle 자전거

① Am
② Do
③ Does
④ Can
⑤ Why

8 다음 짝지어진 대화가 어색한 것을 고르세요.
① A Can you play the flute?
   B Yes, I can.
② A Can Tom make hamburgers?
   B No, he can't.
③ A Can I drink water in the library?
   B No, you can.
④ A May I visit you tomorrow?
   B Yes, you may.
⑤ A May I put my bags here?
   B No, you may not.

★ flute 플루트
★ library 도서관
★ visit 방문하다
★ put 두다, 놓다

서술형

[9~12] 다음 우리말과 뜻이 같도록 주어진 단어를 사용하여 문장을 완성하세요.

9

Mason은 혼자서 자전거를 탈 수 없다.

ride

➡ ☐ ☐

☐ a bike alone.

★ ride 타다
★ alone 혼자서

10

너희는 밖에서 놀아도 된다. play

➡ ☐ ☐

☐ outside.

★ outside 밖에서

11

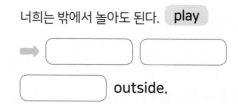

제가 강아지와 함께 여기 머물러도 되나요?

stay

➡ ☐ ☐

☐ here with my dog?

★ stay 머무르다

12

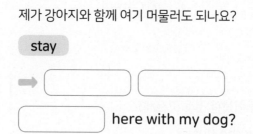

그는 지우개가 필요할지도 모른다.

need

➡ ☐ ☐

☐ an eraser.

★ eraser 지우개

UNIT 4

조동사 (2)

Lesson 1 조동사 must

Lesson 2 must와 should

조동사 must는 '~해야 한다'라는 '의무'의 뜻을 나타내고 have[has] to로 바꿔 쓸 수 있어요. 강한 의무를 나타낼 때는 주로 must를 쓰고 '~하는 게 좋겠다'라는 약한 조언이나 충고를 나타낼 때는 should를 써요.

Lesson 1 조동사 must

① must의 뜻과 쓰임

- '~해야 한다'라는 뜻으로 '의무'를 나타내는 조동사에요.
- 「주어 + must + 동사원형」의 순서로 쓰고, 주어가 3인칭 단수여도 must에는 -s를 붙이지 않아요.

You **must go** alone. 너는 혼자서 가야 한다.

He **must buy** black pens. 그는 검정 펜을 사야 한다.

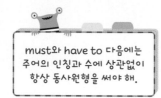

must와 have to 다음에는
주어의 인칭과 수에 상관없이
항상 동사원형을 써야 해.

② have to의 뜻과 쓰임

- '~해야 한다'라는 뜻으로, must와 바꿔 쓸 수 있어요.
- 「주어 + have[has] to + 동사원형」의 순서로 써요.

I **have to buy** a gift for my mom. 나는 엄마를 위해서 선물을 사야 한다.

They **have to get** up early tomorrow. 그들은 내일 일찍 일어나야 한다.

> **Tip** 주어가 3인칭 단수일 때는 has to로 써야 해요.

She has to do her homework. 그녀는 숙제를 해야 한다.

James has to go to the bank. James는 은행에 가야 한다.

주어가 3인칭 단수일 때
have[has] to의 부정문은
doesn't have to로 써.

③ must와 have to의 부정문

must와 have to는 둘 다 의무를 나타내지만, 부정문일 때는 서로 의미가 달라요.

must의 부정문	주어 + must not + 동사원형 ~.	~해서는 안 된다
have to의 부정문	주어 + don't[doesn't] have to + 동사원형 ~.	~할 필요가 없다

We **must not speak** loudly. 우리는 큰 소리로 이야기해서는 안 된다.

You **must not break** the window. 너는 창문을 깨뜨려서는 안 된다.

You **don't have to answer** the question. 너는 그 질문에 대답할 필요가 없다.

My sister **doesn't have to go** to school today. 내 여동생은 오늘 학교에 갈 필요가 없다.

56 UNIT 4

A 다음 주어진 말 중에서 알맞은 것을 고르세요.

1 She ~~must works~~ (must work) hard.

2 They ~~must don't~~ must not jump.

3 He must help is must help Pennie.

4 You not must must not break the rules.

5 We must write must to write our names.

6 Steve musts not go must not go there.

7 Pete and Sam must clean clean must the room.

★ work 일하다

★ hard 열심히

★ break 어기다, 위반하다

★ rule 규칙

★ name 이름

★ clean 청소하다

★ market 시장

★ class 수업

★ answer the phone 전화를 받다

★ cook 요리하다

Unit **4**

조동사 must와 조동사 do는
함께 쓸 수 없어.

B 다음 주어진 말 중에서 알맞은 것을 고르세요.

1 She (has to go) has to goes to the market.

2 We have to take have take the class.

3 Ben isn't have to doesn't have to study.

4 They to have wear have to wear gloves.

5 Marisa has to walk have to walk to school.

6 You not have to don't have to answer the phone.

7 Jen and Olivia don't have to doesn't have to cook.

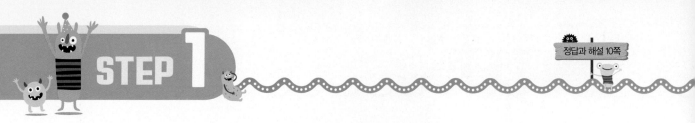

다음 우리말과 뜻이 같도록 주어진 단어를 사용하여 문장을 완성하세요.

1 우리는 지금 집에 가야 한다. ┃ go ┃

➡ We [must[have to] go] home now.

2 너는 그 상자를 열어서는 안 된다. ┃ open ┃

➡ You [＿＿＿＿＿＿] the box.

3 나는 계란을 살 필요가 없다. ┃ buy ┃

➡ I [＿＿＿＿＿＿] eggs.

4 우리는 다른 사람들에게 무례해서는 안 된다. ┃ be ┃

➡ We [＿＿＿＿＿＿] rude to others.

5 Emily는 이 일을 할 필요가 없다. ┃ do ┃

➡ Emily [＿＿＿＿＿＿] this job.

6 나는 내 열쇠를 찾아야 한다. ┃ find ┃

➡ I [＿＿＿＿＿＿] my key.

7 그들은 교복을 입을 필요가 없다. ┃ wear ┃

➡ They [＿＿＿＿＿＿] school uniforms.

8 Tony는 물을 좀 마셔야 한다. ┃ drink ┃

➡ Tony [＿＿＿＿＿＿] some water.

9 그녀는 핸드폰을 사용해서는 안 된다. ┃ use ┃

➡ She [＿＿＿＿＿＿] her cell phone.

10 Amy와 Kirk는 사진을 찍을 필요가 없다. ┃ take ┃

➡ Amy and Kirk [＿＿＿＿＿＿] a photo.

★ rude 무례한
★ job 일, 직업
★ find 찾다
★ key 열쇠
★ school uniform 교복
★ take a photo 사진을 찍다

> must와 have[has] to는 모두 '의무'를 나타내지만 부정문으로 썼을 때는 서로 의미가 달라져.

다음 밑줄 친 부분을 바르게 고쳐 문장을 다시 쓰세요.

1 You <u>must don't</u> swim here.

➡ You must not swim here.

2 I don't have <u>wear</u> sunglasses.

➡

3 They <u>must</u> to read these books.

➡

4 We <u>not must</u> make a noise.

➡

5 She <u>don't have</u> to buy a basket.

➡

6 We must <u>don't cross</u> the street at a red light.

➡

7 She has to <u>meets</u> her friends.

➡

8 Junsu <u>doesn't must</u> to see a doctor.

➡

9 You must <u>to remember</u> the password.

➡

10 William and Noah <u>doesn't have</u> to buy a car.

➡

★ swim 수영하다

★ make a noise 떠들다

★ basket 바구니

★ cross 건너다

★ street 길, 거리

★ red light
(신호등) 빨간 불

★ see a doctor
(의사의) 진찰을 받다

★ remember 기억하다

★ password 비밀번호

Unit
4

「must + 동사원형」과
「have[has] to + 동사원형」의
쓰임을 잘 구분해야 해.

정답과 해설 10쪽

다음 주어진 단어를 사용하여 문장을 다시 쓰세요.
(필요하면 단어의 형태를 바꾸세요.)

★ use 사용하다
★ take a taxi 택시를 타다
★ send 보내다
★ letter 편지
★ finish 끝내다
★ homework 숙제
★ soda 탄산음료
★ medicine 약
★ lake 호수
★ huge 거대한

1 You eat apples. must

➡ You must eat apples.

2 I don't use this computer. have to

➡

3 She sings many songs. must

➡

4 Sophia doesn't take a taxi. have to

➡

5 Alex sends a letter to her parents. must

➡

6 We finish our math homework. have to

➡

7 He doesn't drink soda. must

➡

의무를 나타내는
조동사 must는
have[has] to로
바꿔 쓸 수 있어.

8 Peter takes this medicine. have to

➡

9 They don't swim in the lake. must

➡

10 My parents don't buy a huge house. have to

➡

60 UNIT 4

다음 우리말과 뜻이 같도록 주어진 단어를 사용하여 문장을 쓰세요.

1 너는 영어로 말해야 한다. speak in English

➡ You must[have to] speak in English.

2 너는 넥타이를 할 필요가 없다. wear a tie

➡

3 그는 밤에 운전해서는 안 된다. drive at night

➡

4 Kate는 일찍 와야 한다. come early

➡

5 그들은 우유를 마실 필요가 없다. drink milk

➡

6 너는 물을 낭비해서는 안 된다. waste water

➡

7 그녀는 돈을 빌릴 필요가 없다. borrow money

➡

8 John은 그의 선생님을 만나야 한다. meet his teacher

➡

9 우리는 채소를 먹어야 한다. eat vegetables

➡

10 우리는 그 꽃들을 꺾어서는 안 된다. pick the flowers

➡

★ speak 말하다
★ in English 영어로
★ tie 넥타이
★ drive 운전하다
★ come 오다
★ early 일찍
★ waste 낭비하다
★ borrow 빌리다
★ vegetable 채소
★ pick (꽃을) 꺾다

Unit
4

조동사 must의 부정문은
「must not + 동사원형」으로,
have[has] to의 부정문은
「don't[doesn't] have to +
동사원형」으로 써.

Lesson

2 must와 should

1 should의 뜻과 쓰임

'~해야 한다, ~하는 게 좋겠다'라는 뜻으로 조언이나 충고를 나타낼 때 써요.

We **should call** the police. 우리는 경찰을 불러야 한다.
You **should wash** your hands. 너는 손을 씻어야 한다.
They **should get** some rest. 그들은 좀 쉬는 게 좋겠다.
She **should wear** sunglasses. 그녀는 선글라스를 쓰는 게 좋겠다.

> **Tip** 강한 의무를 나타낼 때는 주로 must를 쓰고 약한 의무나 조언을 나타낼 때는 주로 should를 써요.

All drivers **must** wear a seatbelt. 모든 운전자들은 안전벨트를 해야 한다.
You **should** clean your room. 너는 네 방을 청소해야 한다.

2 should의 부정문

부정문	주어 + should not[shouldn't] + 동사원형 ~.	~해서는 안 된다 ~하지 않는 게 좋겠다

You **should not tell** lies. 너는 거짓말을 해서는 안 된다.
You **shouldn't eat** chocolate. 너는 초콜릿을 먹지 않는 게 좋겠다.

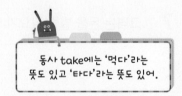

동사 take에는 '먹다'라는 뜻도 있고 '타다'라는 뜻도 있어.

3 should의 의문문

의문문	Should + 주어 + 동사원형 ~?	~해야 하나요? ~하는 게 좋을까요?
대답	Yes, 주어[대명사] + should. No, 주어[대명사] + should not[shouldn't].	네, 그래요. 아니요, 그렇지 않아요.

A **Should** he **take** these pills?
그가 이 약을 먹어야 하나요?

B Yes, he **should**.
네, 그래요.

A **Should** I **take** the subway?
제가 지하철을 타는 게 좋을까요?

B No, you **should not[shouldn't]**.
아니요, 그렇지 않아요.

A 다음 주어진 두 단어 중에서 알맞은 것을 고르세요.

1 She ~~go should~~ (should go) to the post office.

2 Should I ~~Do I should~~ remember his name?

3 He ~~isn't should buy~~ should not buy the motorcycle.

4 Should Amy go goes to bed now?

5 We should clean should to clean our room.

6 You not should miss should not miss the class.

7 Should Yuna exercise to exercise every day?

★ post office 우체국
★ remember 기억하다
★ motorcycle 오토바이
★ go to bed 자다
★ miss 빠지다, 놓치다
★ excercise 운동하다
★ leave 떠나다
★ feed 먹이를 주다
★ puppy 강아지
★ take care of
  ~을 돌보다
★ throw 던지다
★ stone 돌
★ wash the dishes
  설거지하다

Unit 4

조동사 should 다음에는
항상 동사원형을 쓰고, not은
should 바로 뒤에 와야 해.

B 다음 빈칸에 should가 쓰일 수 있는지 없는지 고르세요.

1 William [should] leave now. Ⓞ ✕

2 [ ] she feed the puppy? O ✕

3 They [ ] reading English books. O ✕

4 You [ ] take care of her. O ✕

5 We [ ] not throw stones. O ✕

6 He [ ] visits Audrey on Sunday. O ✕

7 She [ ] not washing the dishes. O ✕

다음 우리말과 뜻이 같도록 주어진 단어와 should를 사용하여 문장을 완성하세요. (줄임형으로 쓰지 마세요.)

★ answer 대답하다
★ question 질문
★ seatbelt 안전벨트
★ beach 해변, 바닷가
★ wash 씻다
★ hand 손
★ soap 비누
★ subway 지하철
★ map 지도
★ helmet 헬멧

1 너는 그 상자를 열지 않는 게 좋겠다. open

➡ You [should not open] the box.

2 나는 그 질문에 대답해야 한다. answer

➡ I [　　　　　　　　] the question.

3 너는 창문을 닫지 않는 게 좋겠다. close

➡ You [　　　　　　　　] the windows.

4 그들은 안전벨트를 해야 한다. wear

➡ They [　　　　　　　　] seatbelts.

5 Stacy는 해변에 가지 않는 게 좋겠다. go

➡ Stacy [　　　　　　　　] to the beach.

6 Taylor는 꽃을 좀 사야 한다. buy

➡ Taylor [　　　　　　　　] some flowers.

take는 함께 쓰이는 단어에 따라 여러 가지 뜻으로 해석이 돼.

take a rest
휴식하다
take medicine
약을 먹다
take the class
수업을 듣다
take the subway
지하철을 타다

7 우리는 비누로 손을 씻어야 한다. wash

➡ We [　　　　　　　　] our hands with soap.

8 Angela가 지하철을 타는 게 좋을까? take

➡ [　　　　　　　　] the subway?

9 내가 지도를 사는 게 좋을까? buy

➡ [　　　　　　　　] a map?

10 그가 헬멧을 써야 할까? wear

➡ [　　　　　　　　] a helmet?

다음 밑줄 친 부분을 바르게 고쳐 문장을 다시 쓰세요.

1 Should we <u>must take</u> the class?

➡ Should we take the class?

★ go to bed 자다

★ police 경찰

2 They <u>not should</u> go to bed late.

➡

★ find 찾다

★ job 직업

3 Should we <u>to call</u> the police?

➡

★ diary 일기

★ pass (시험에) 통과하다

4 Sam should <u>finds</u> a new job.

➡

★ stay 머무르다

★ kid 아이, 어린이

5 David should <u>drinking</u> some milk.

➡

★ classroom 교실

Unit **4**

6 She shouldn't <u>reads</u> his diary.

➡

7 Joe should <u>to pass</u> the test.

➡

8 Mina should <u>don't go</u> to the concert.

➡

조동사 should와 조동사 do는 함께 쓸 수 없어.

9 Should I <u>staying</u> home with the kids?

➡

10 They should <u>are</u> in the classroom now.

➡

정답과 해설 11쪽

다음 문장을 지시대로 바꿔 쓰세요.

1 You should close your eyes. 부정문

➡ You should not[shouldn't] close your eyes.

2 Rory should wear a coat. 의문문

➡

3 You shouldn't enter this room. 긍정문

➡

4 She should help Tony. 부정문

➡

5 They should play tennis together. 의문문

➡

6 We should buy some grape juice. 의문문

➡

7 My brother should swim in the river. 부정문

➡

8 He should be careful. 의문문

➡

9 Linda shouldn't watch this movie. 긍정문

➡

10 We should finish the work late at night. 부정문

➡

★ close (눈을) 감다

★ wear 입다, 착용하다

★ enter 들어가다

★ together 함께

★ grape 포도

★ swim 수영하다

★ river 강

★ careful 조심하는

★ watch 보다

★ finish 끝내다

★ late 늦게

should의 부정문은 should
다음에 not을 붙이고,
의문문은 「should + 주어 +
동사원형 ~?」으로 써.

66 UNIT 4

다음 우리말과 뜻이 같도록 주어진 단어와 should를 사용하여 문장을 쓰세요.

1 우리가 지금 주문하는 게 좋을까? **order now**

➡ Should we order now?

2 우리는 그 꽃병을 깨뜨려서는 안 된다. **break** **the vase**

➡

3 그는 그의 머리를 잘라야 하니? **cut** **his hair**

➡

4 너는 그 개를 만지지 않는 게 좋겠다. **touch** **the dog**

➡

5 그녀는 눈사람을 만들어야 한다. **make** **a snowman**

➡

6 그들은 그 차를 사지 않는 게 좋겠다. **buy** **the car**

➡

7 Amelie는 병원에 가야 한다. **go** **to the hospital**

➡

8 내가 그 선물을 숨겨야 하니? **hide** **the present**

➡

9 그들은 교과서를 가져와야 한다. **bring** **textbooks**

➡

10 그는 그녀의 편지를 읽어서는 안 된다. **read** **her letter**

➡

1 다음 빈칸에 들어갈 말로 알맞은 것을 고르세요.

> Peter must _____ math.

① study

② studies

③ to study

④ does study

⑤ studying

★ math 수학

2 다음 빈칸에 들어갈 말로 알맞지 <u>않은</u> 것을 고르세요.

> Mary _____ buy some lemons.

① has to

② must

③ have to

④ must not

⑤ doesn't have to

★ lemon 레몬

3 다음 빈칸에 들어갈 말을 바르게 짝지은 것을 고르세요.

> • Tom _____ remember her name.
>
> • We _____ buy some snacks.

① must — has to

② has to — must

③ has to — has to

④ have to — has to

⑤ have to — must

★ remember 기억하다
★ snack 간식

4 다음 밑줄 친 부분이 잘못 쓰인 것을 고르세요.

① She <u>has to</u> buy a present.

② You <u>don't have to</u> help me.

③ We <u>must climb</u> the mountain.

④ She <u>must not plays</u> the piano.

⑤ Tom <u>doesn't have to</u> fix his car.

★ present 선물
★ climb 오르다
★ mountain 산
★ fix 수리하다, 고치다

5 다음 문장을 의문문으로 바르게 바꾼 것을 고르세요.

> They should answer the question.

★ answer 대답하다
★ question 질문

① Should they to answer the question?
② Do they answer the question?
③ Are they answering the question?
④ Should they answer the question?
⑤ Should they must answer the question?

6 다음 문장을 부정문으로 바르게 바꾼 것을 고르세요.

> She has to wear boots.

★ wear 신다
★ boots 장화

① She not has to wear boots.
② She don't has to wear boots.
③ She don't have to wear boots.
④ She doesn't has to wear boots.
⑤ She doesn't have to wear boots.

7 다음 중 옳은 문장을 고르세요.
① You don't must eat this food.
② The girl must chooses a song.
③ We has to close the windows.
④ He doesn't have to wash the dishes.
⑤ Should we to find another restaurant?

★ choose 선택하다
★ wash the dishes
　설거지를 하다
★ restaurant 식당

8 다음 중 잘못된 문장을 고르세요.
① Should I take pictures?
② Jane doesn't has to cook.
③ Should we invite David?
④ You shouldn't drink this water.
⑤ Samuel has to send the letter.

★ take pictures
　사진을 찍다
★ invite 초대하다
★ send 보내다

Unit
4

[9~12] 다음 우리말과 뜻이 같도록 주어진 단어를 사용하여 문장을 완성하세요.

9

너는 호수에서 수영을 해서는 안 된다.

| must | swim |

➡ You ⬚ ⬚

⬚ in the lake.

★ swim 수영하다
★ lake 호수

10

Ben은 재킷을 입을 필요가 없다.

| have to | wear |

➡ Ben ⬚ ⬚

⬚ ⬚ a jacket.

★ jacket 재킷

11

우리는 학교에 간식을 가져와서는 안 된다.

| should | bring |

 We ⬚ ⬚

snacks to school.

★ bring 가져오다
★ snack 간식

12

내가 그 수업을 듣는 게 좋을까?

| should | take |

 ⬚ ⬚

⬚ the class?

★ take the class
수업을 듣다

UNIT 5

명령문

명령문은 상대방에게 무엇을 하거나 하지 말라고 '지시' 혹은 '명령' 할 때 사용하는 표현이에요.
같이 어떤 것을 하자고 권유할 때는 「Let's + 동사원형」을 사용해요.

Lesson 1 긍정명령문과 부정명령문

• 알아두기 • 명령문이란 상대방에게 어떤 행동을 하라고 지시하거나 명령하는 문장을 말해요.

1 긍정명령문

- 상대방에게 '~해라'라고 지시나 명령을 할 때 사용하는 문장이에요.
- 대화하는 상대방에게 말하는 것이므로 주어 you를 생략하고 동사원형으로 문장을 시작해요.
- 문장 앞이나 뒤에 please를 붙이면 '~하세요, ~해 주세요'라는 좀 더 부드러운 부탁의 표현이 돼요.

Be quiet. 조용히 해라.

Do your homework. 네 숙제를 해라.

Sit down, **please**. 앉으세요.

Please help me. 저를 도와주세요.

명령문 뒤에 please를 쓸 때는 쉼표(,)를 찍고 써야 해.

Tip 듣는 사람을 분명히 밝히고 싶을 때 주어 you를 생략하지 않고 쓰기도 해요.

Jane, **you wash** your hands. Jane, 네 손을 씻어라.

2 부정명령문

- 상대방에게 '~하지 마라'라고 지시나 명령을 할 때 사용하는 문장이에요.
- 주어 you를 생략하고 「Don't + 동사원형」으로 문장을 써요.
- 문장 앞이나 뒤에 please를 붙이면 '~하지 마세요'라는 좀 더 부드러운 부탁의 표현이 돼요.

Don't be late. 늦지 마라.

Don't eat that candy. 저 사탕을 먹지 마라.

Don't read the letter, **please**. 그 편지를 읽지 말아주세요.

Please don't play the piano at night. 밤에 피아노를 치지 말아주세요.

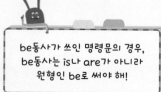

be동사가 쓰인 명령문의 경우, be동사는 is나 are가 아니라 원형인 be로 써야 해!

Tip '절대 ~하지 마라'라는 부정의 의미를 강조하기 위해 Don't 대신 Never를 쓸 수도 있어요.

Never be late. 절대 늦지 마라.

Never give up. 절대 포기하지 마라.

정답과 해설 13쪽

A 다음 주어진 두 단어 중에서 알맞은 것을 고르세요.

1 Don't （go） goes .

2 Are Be careful.

3 Not Don't run.

4 Look Looks at me, please.

5 Don't Doesn't bring your bag.

6 Opening Open the door.

7 Don't cry crying .

★ careful 조심하는
★ run 뛰다, 달리다
★ bring 가져오다
★ cry 울다
★ stand 일어서다
★ shy 부끄러워하는
★ tomorrow 내일
★ slowly 천천히
★ touch 만지다
★ forget 잊다

Unit
5

부정명령문에서 Don't 대신
Never는 쓸 수 있지만,
Not은 쓸 수 없어.

B 다음 문장이 긍정명령문인지 부정명령문인지 고르세요.

1 Stand up. 　　　　　　　　　　（긍정） 부정

2 Don't be shy. 　　　　　　　　　긍정 부정

3 Call me tomorrow. 　　　　　　　긍정 부정

4 Please eat slowly. 　　　　　　　긍정 부정

5 Don't touch the flower. 　　　　　긍정 부정

6 Never forget his name. 　　　　　긍정 부정

7 Be kind to your friends. 　　　　　긍정 부정

다음 우리말과 뜻이 같도록 주어진 단어를 사용하여 문장을 완성하세요.

⭐ umbrella 우산	
⭐ sad 슬픈	
⭐ raincoat 비옷	
⭐ touch 만지다	
⭐ animal 동물	
⭐ do one's best 최선을 다하다	
⭐ lose 잃어버리다	
⭐ wallet 지갑	
⭐ ride 타다	
⭐ polite 공손한	
⭐ guest 손님	
⭐ draw 그리다	
⭐ picture 그림, 사진	

1 이 우산을 가져가라. take

➡ [Take] this umbrella.

2 슬퍼하지 마라. be

➡ [ ] sad.

3 너의 비옷을 입어라. wear

➡ [ ] your raincoat.

4 절대 동물들을 만지지 마라. touch

➡ [ ] the animals.

5 최선을 다하세요. do

➡ Please [ ] your best.

6 네 지갑을 잃어버리지 마라. lose

➡ [ ] your wallet.

7 노래를 부르세요. sing

➡ [ ] a song, please.

8 여기에서 자전거를 타지 마라. ride

➡ [ ] a bicycle here.

9 손님들에게 공손해라. be

➡ [ ] polite to the guests.

10 절대 그림을 그리지 마라. draw

➡ [ ] a picture.

명령문의 앞뒤에 please를 붙이면 좀 더 공손한 표현이 돼.

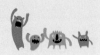

다음 우리말과 뜻이 같도록 밑줄 친 부분을 바르게 고쳐 문장을 다시 쓰세요.

1 <u>Pushes</u> the bell. 초인종을 눌러라.

➡ Push the bell.

2 <u>Not take</u> the train. 그 기차를 타지 마라.

➡

3 <u>Don't buys</u> that cap. 저 모자를 사지 마라.

➡

4 <u>Finishing</u> your homework. 너의 숙제를 끝내라.

➡

5 Please <u>to choose</u> the color. 색을 골라 주세요.

➡

6 <u>Drink not</u> the orange juice. 그 오렌지 주스를 마시지 마라.

➡

7 <u>Being</u> quiet in the classroom. 교실에서 조용히 해라.

➡

8 <u>Forget don't</u> my name, please. 나의 이름을 잊지 말아주세요.

➡

9 Never <u>catches</u> the bird. 절대 그 새를 잡지 마라.

➡

10 <u>Doesn't hate</u> your sister. 너의 여동생을 싫어하지 마라.

➡

★ push 누르다
★ bell 초인종
★ train 기차
★ cap 모자
★ finish 끝내다
★ homework 숙제
★ choose 고르다
★ color 색
★ quiet 조용한
★ classroom 교실
★ forget 잊다
★ catch 잡다
★ hate 싫어하다

Unit
5

'~하지마라'의 뜻인 부정명령문은 Don't로 시작하고 뒤에 동사원형을 써.

다음 문장을 지시대로 바꿔 쓰세요. (Never는 사용하지 마세요.)

1 You throw the ball. 부정명령문

➡ Don't throw the ball.

2 You get up early. 긍정명령문

➡

3 You jump on the sofa. 부정명령문

➡

4 You visit your uncle. 긍정명령문

➡

5 You open the drawer. 부정명령문

➡

6 You fix this camera. 긍정명령문

➡

명령문에서 동사는
항상 원형으로 써야 해!

7 You draw a picture. 부정명령문

➡

8 You drink a cup of water. 긍정명령문

➡

9 You play the computer game. 부정명령문

➡

10 You help your grandmother. 긍정명령문

➡

★ throw 던지다
★ get up 일어나다
★ visit 방문하다
★ uncle 삼촌
★ drawer 서랍
★ fix 고치다
★ draw 그리다
★ picture 그림
★ grandmother 할머니

다음 우리말과 뜻이 같도록 주어진 단어를 사용하여 문장을 쓰세요.

★ wash 씻다
★ hand 손
★ lie 거짓말
★ afraid 두려워하는
★ hold 잡다
★ rope 줄, 끈
★ invite 초대하다
★ fruit 과일
★ push 누르다

1 이 책을 읽지 마라. read   book

➡ Don't read this book.

2 너의 손을 씻어라. wash   hands

➡

3 절대 거짓말을 하지 마라. tell   a lie

➡

4 저 버스를 타라. take   bus

➡

5 두려워하지 마라. be   afraid

➡

> 부정명령문에서는 의미를 강조하기 위해 Don't 대신 Never를 쓰기도 해.

6 이 줄을 잡아라. hold   rope

➡

7 첼로를 연주해라. play   the cello

➡

8 우리를 초대해 주세요. invite

➡

9 저 과일들을 사지 마라. buy   fruits

➡

10 절대 그 버튼을 누르지 마라. push   the button

➡

Unit 5

명령문 **77**

Lesson 2 Let's + 동사원형

· 알아두기 · Let's를 써서 상대방에게 어떤 행동을 하거나 하지 말자고 권유하는 문장을 제안문이라고 해요.

1 Let's + 동사원형

· 상대방에게 '~하자'라고 권유하거나 제안할 때 사용하는 문장이에요.

· Let's 다음에는 항상 동사원형을 써야 해요.

Let's **go** home. 집에 가자.

Let's **sing** a song. 노래를 부르자.

Let's **make** cookies. 쿠키를 만들자.

Let's **buy** some balloons. 풍선을 좀 사자.

> Let's는 Let us의 줄임말이야.
> Let's에 '우리'라는 의미가 포함되어
> 있기 때문에 「Let's + 동사원형」의
> 뜻이 '우리 ~하자'가 되는 거야.
> 하지만, 쓸 때는 Let us로 쓸 수 없고
> 반드시 Let's로 써야 해!

📝 Tip '함께 ~하자'라는 의미를 강조하기 위해 문장 끝에 '함께, 같이'라는 뜻의 together를 쓰기도 해요.

Let's play tennis **together**. 함께 테니스를 치자.

Let's go swimming **together**. 함께 수영하러 가자.

2 Let's not + 동사원형

· 상대방에게 '~하지 말자'라고 권유하거나 제안할 때 사용하는 문장이에요.

· Let's not 다음에는 항상 동사원형을 써야 해요.

Let's **not go** to the party. 그 파티에 가지 말자.

Let's **not buy** the magazine. 그 잡지를 사지 말자.

Let's **not wash** the dishes now. 지금 설거지를 하지 말자.

Let's **not cross** the street here. 여기서 길을 건너지 말자.

📝 Tip 「Don't let's + 동사원형」 혹은 「Let's + 동사원형 + not」으로 쓰지 않도록 주의해요.

Don't **let's take** pictures here. (×)

Let's take not pictures here. (×)

→ **Let's not take** pictures here. (○) 여기서 사진을 찍지 말자.

A 다음 주어진 말 중에서 알맞은 것을 고르세요.

1 Let's (walk) walks together.

2 Let's buy buying some bread.

3 Let's not play plays soccer.

4 Let's clean to clean our classroom.

5 Let's watch watches the movie.

6 Let's not run running in the house.

7 Let's are singing sing together.

★ walk 걷다
★ clean 청소하다
★ classroom 교실
★ watch 보다
★ movie 영화
★ stop 멈추다
★ baseball 야구
★ enter 들어가다
★ eat out 외식하다

Let's와 Let's not 다음에는
항상 동사원형을 써야 해.

Unit
5

B 다음 주어진 말 중에서 알맞은 것을 고르세요.

1 (Let's go) Let goes home now.

2 Not let's Let's not cry.

3 Let's make Let's makes cookies.

4 Don't let's Let's not stop.

5 Let's play Let's playing baseball.

6 Let's not Let's don't enter the room.

7 Let's eat not Let's not eat out today.

다음 우리말과 뜻이 같도록 주어진 단어를 사용하여 문장을 완성하세요.

1 캠핑하러 가자. go

➡ Let's go camping.

2 이 호수에서 수영하지 말자. swim

➡ in this lake.

3 마스크를 쓰자. wear

➡ a mask.

4 이 노래를 부르지 말자. sing

➡ this song.

5 6시에 만나자. meet

➡ at 6 o'clock.

6 창문을 열지 말자. open

➡ the window.

7 모래성을 만들자. make

➡ a sandcastle.

8 이 잡지를 읽지 말자. read

➡ this magazine.

9 함께 점심을 요리하자. cook

➡ lunch together.

10 지하철을 타지 말자. take

➡ the subway.

★ go camping
캠핑하러 가다
★ swim 수영하다
★ lake 호수
★ wear 쓰다, 입다
★ mask 마스크, 가면
★ sandcastle 모래성
★ magazine 잡지
★ cook 요리하다
★ lunch 점심 식사
★ subway 지하철

정답과 해설 14쪽

다음 밑줄 친 부분을 바르게 고쳐 문장을 다시 쓰세요.

★ speak 말하다
★ loudly 큰 소리로
★ building 건물
★ continue 계속하다
★ work 일
★ shrimp 새우
★ spaghetti 스파게티

1 <u>Let's eats</u> this bread.

➡ Let's eat this bread.

2 Let's <u>play not</u> this game.

➡

3 <u>Let's making</u> cookies.

➡

4 Let's <u>not speaks</u> loudly.

➡

5 <u>Let's to jump</u> together.

➡

6 Let's <u>go not</u> to that building.

➡

> '~하지 말자'라는 표현은 Let's 다음에 not을 쓰면 돼.

7 <u>Let buy</u> some bananas.

➡

8 Let's <u>don't read</u> these books.

➡

9 <u>Lets continue</u> our work.

➡

10 Let's <u>not eating</u> shrimp spaghetti.

➡

다음 문장을 반대의 뜻이 되도록 바꿔 쓰세요.

★ dinner 저녁 식사

★ cook 요리하다

★ lemon 레몬

★ comic book 만화책

★ write 쓰다

★ letter 편지

★ match 성냥

★ shopping mall 쇼핑몰

1 Let's not make dinner.

➡ Let's make dinner.

2 Let's watch TV.

➡

3 Let's not cook together.

➡

4 Let's eat a lemon.

➡

5 Let's not read a comic book.

➡

6 Let's sing together.

➡

'함께 ~하자'라는 의미를 강조하기 위해 문장 끝에 together를 쓰기도 해.

7 Let's write a letter.

➡

8 Let's not play with matches.

➡

9 Let's play the piano together.

➡

10 Let's not go to the shopping mall.

➡

82 UNIT 5

다음 우리말과 뜻이 같도록 주어진 단어를 사용하여 문장을 쓰세요.

1 이 나무에 오르자. climb tree

➡ Let's climb this tree.

2 도서관에 가자. go to the library

➡

3 농구를 하지 말자. play basketball

➡

4 함께 내 로봇을 고치자. fix robot

➡

5 플루트를 연주하자. play the flute

➡

6 지하철을 타지 말자. take the subway

➡

7 그의 컴퓨터를 사용하지 말자. use computer

➡

8 함께 저 소년을 돕자. help boy

➡

9 이 칫솔들을 사지 말자. buy toothbrushes

➡

10 뜨거운 커피를 마시지 말자. drink hot coffee

➡

★ climb 오르다
★ library 도서관
★ basketball 농구
★ fix 고치다
★ robot 로봇
★ flute 플루트
★ subway 지하철
★ use 사용하다
★ toothbrush 칫솔
★ hot 뜨거운

Unit
5

명령문 **83**

1 다음 빈칸에 들어갈 말로 알맞은 것을 고르세요.

> Let's not _____ to the zoo.

① goes   ② go
③ going   ④ to go
⑤ to going

★ zoo 동물원

2 다음 빈칸에 공통으로 들어갈 말로 알맞은 것을 고르세요.

> • Let's _____ the book.
> • Never _____ the car.

① buy   ② buys
③ to buy   ④ to buys
⑤ buying

3 다음 중 잘못된 문장을 고르세요.

① Drink some water.
② Let's sing this song.
③ Don't reads the letter.
④ Let's bake a cake together.
⑤ Never bring your comic books.

★ sing 노래하다
★ bake (음식을) 굽다
★ bring 가져오다

4 다음 밑줄 친 부분이 올바르게 쓰인 것을 고르세요.

① <u>Coming</u> early.
② Let's <u>to call</u> Mike.
③ Let's <u>read</u> this book.
④ Don't <u>drinks</u> the apple juice.
⑤ Don't <u>fighting</u> with your cousin.

★ call 부르다
★ fight 싸우다
★ cousin 사촌

5 다음 빈칸에 알맞은 말을 바르게 짝지은 것을 고르세요.

> • Let's not _____ a noise.
> • _____ the door, please.

★ make a noise
떠들다, 시끄럽게 하다

① make — Open
② make — Opens
③ makes — Open
④ making — Open
⑤ makes — Opening

6 다음 빈칸에 Be[be]가 들어갈 수 <u>없는</u> 것을 고르세요.

① _____ careful.
② Don't _____ late.
③ She _____ beautiful.
④ Don't _____ shy.
⑤ _____ polite to your parents.

★ careful 조심하는
★ late 늦은
★ beautiful 아름다운
★ shy 부끄러워하는
★ polite 예의 바른

Unit
5

7 다음 빈칸에 Let's가 들어갈 수 <u>없는</u> 것을 고르세요.

① _____ swim.
② _____ eat fruits.
③ _____ run together.
④ _____ meets him at the park.
⑤ _____ play soccer after school.

★ fruit 과일
★ park 공원
★ after school 방과 후에

8 다음 우리말을 영어로 바르게 옮긴 것을 고르세요.

> 함께 쿠키를 만들자.

① Make cookies.
② Let make cookies.
③ Do make cookies together.
④ Let's make cookies together.
⑤ Let's makes cookies together.

[9~12] 다음 우리말과 뜻이 같도록 주어진 단어를 사용하여 문장을 완성하세요.

9

하늘에 있는 저 달을 봐라. look

➡ [   ] at the moon in the sky.

★ moon 달
★ sky 하늘

10

오늘 테니스를 치지 말자. play

➡ [   ] tennis today.

★ tennis 테니스

11

함께 이 책을 읽자. read

➡ [   ] this book together.

12

절대 교실에 네 휴대폰을 가져오지 마라. bring

➡ [   ] your cell phone into the classroom.

★ bring 가져오다
★ cell phone 휴대폰
★ classroom 교실

UNIT 6

전치사

Lesson 1   장소 / 방향의 전치사
Lesson 2   시간과 그 외 전치사

I ride a bike in the park in the morning.
나는 아침에 공원에서 자전거를 타.

전치사는 '앞에 놓인 말'이라는 뜻으로 명사 혹은 대명사 앞에 쓰여서 장소, 방향, 시간 등을 나타내요.

Lesson 1 장소 / 방향의 전치사

1 장소를 나타내는 전치사

in	~ 안에, ~에(넓은 장소)
at	~에(좁은 장소)
on	~ 위에

도시나 나라 이름 앞에도 in을 써.
in Seoul, in Korea

A doll is **in** the box. 박스 안에 인형 하나가 있다.

She lives **in** Busan. 그녀는 부산에 산다.

I'm waiting **at** the door. 나는 문에서 기다리고 있다.

A book is **on** the desk. 책상 위에 책 한 권이 있다.

2 장소 / 방향을 나타내는 다양한 전치사

in front of	~ 앞에	up	~ 위로
behind	~ 뒤에	down	~ 아래로
under	~ 아래에	into	~ 안으로
next to	~ 옆에	out of	~ 밖으로
between A and B	A와 B 사이에	across	~을 가로질러, ~의 건너편에

┌ 전치사 뒤 대명사는 '목적격'으로 써요.

Jane is **behind** him.
Jane은 그의 뒤에 있다.

A cat is **next to** the chair.
고양이 한 마리가 의자 옆에 있다.

He is going **into** the house.
그는 집 안으로 들어가고 있다.

The man is **in front of** the house.
그 남자는 집 앞에 있다.

The store is **between** my house **and** the bakery.
그 가게는 우리 집과 빵집 사이에 있다.

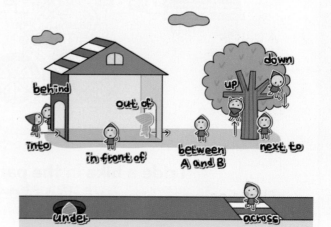

A 다음 주어진 두 단어 중에서 알맞은 전치사를 고르세요.

1 She lives up (in) Korea.

2 He is waiting at between the station.

3 They are going at into the building.

4 Can I sit next to out of you?

5 A mailbox is under across the street.

6 The spoon is on in the plate.

★ wait 기다리다

★ station 역, 정거장

★ building 건물

★ mailbox 우체통

★ spoon 숟가락

★ plate 접시

★ lamp 램프, 등

★ bakery 빵집

★ stairs 계단

★ dolphin 돌고래

좁은 장소나 특정한 지점을
나타낼 때는 at을 쓰고,
넓은 장소를
나타낼 때는 in을 써.

B 다음 주어진 뜻을 보고 <보기>에서 알맞은 말을 골라 빈칸에 쓰세요.

| 보기 | on | behind | next to |
| | down | under | out of |

1 The book is [on] the table. 탁자 위에

2 A ball is [   ] the sofa. 소파 아래에

3 The lamp is [   ] the bed. 침대 옆에

4 The bakery is [   ] the bank. 은행 뒤에

5 She is going [   ] the stairs. 계단 아래로

6 The dolphin jumps [   ] the water. 물 밖으로

Unit
6

전치사 **89**

정답과 해설 16쪽

다음 우리말과 뜻이 같도록 빈칸에 알맞은 전치사를 쓰세요.

1 그 오렌지들은 바구니 안에 있다.

➡ The oranges are [in] the basket.

2 비행기가 하늘을 가로질러 날아간다.

➡ An airplane flies [   ] the sky.

3 버스 한 대가 그 건물 앞에 있다.

➡ A bus is [   ] the building.

4 Chris가 사다리 아래로 내려오고 있다.

➡ Chris is climbing [   ] the ladder.

5 그 공은 바닥에 있다.

➡ The ball is [   ] the floor.

6 고양이 한 마리가 탁자 아래에 있다.

➡ A cat is [   ] the table.

7 그녀가 길 위쪽으로 걷고 있다.

➡ She is walking [   ] the street.

8 나무 한 그루가 나의 집 뒤에 있다.

➡ A tree is [   ] my house.

9 우리는 그 연못 안으로 동전을 던진다.

➡ We throw coins [   ] the pond.

10 그는 나와 Selena 사이에 앉아 있다.

➡ He is sitting [   ] me and Selena.

★ basket 바구니
★ airplane 비행기
★ climb 기어오르다
★ ladder 사다리
★ floor 바닥
★ table 탁자
★ street 길
★ throw 던지다
★ coin 동전
★ pond 연못

장소의 크기나 위치,
방향에 따라 사용하는
전치사가 달라.

STEP 2

다음 우리말과 뜻이 같도록 밑줄 친 부분을 바르게 고쳐 문장을 다시 쓰세요.

★ stand 서 있다
★ put 놓다, 두다
★ train 기차
★ tunnel 터널
★ hide 숨다
★ pool 수영장
★ river 강

1 A truck is <u>under</u> my house. 트럭 한 대가 나의 집 앞에 있다.

➡ A truck is in front of my house.

2 They are <u>into</u> New York. 그들은 뉴욕에 있다.

➡

3 The boxes are <u>on</u> the bed. 그 상자들은 침대 아래에 있다.

➡

4 She is standing <u>across</u> him. 그녀는 그의 옆에 서 있다.

➡

전치사 뒤에 오는
인칭대명사는
목적격으로 써야 해.

5 I put the books <u>up</u> the table. 나는 그 책들을 탁자 위에 놓는다.

➡

6 The train comes <u>next to</u> the tunnel. 기차가 터널 밖으로 나온다.

➡

7 The child is hiding <u>down</u> the door. 그 아이는 문 뒤에 숨어 있다.

➡

8 The cat comes <u>out of</u> the tree. 그 고양이는 나무 아래로 내려온다.

➡

9 He is jumping <u>behind</u> the pool. 그는 수영장 안으로 뛰어들고 있다.

➡

10 Let's swim <u>between</u> the river. 강을 가로질러서 수영하자.

➡

Unit
6

정답과 해설 16쪽

다음 우리말과 뜻이 같도록 주어진 단어를 배열하세요.

1 그 새들은 지붕 위에 있다.

the birds   the roof   are   on

➡ The birds are on the roof.

2 사람들이 건물에서 나오고 있다.

coming   people   out of   are   the building

➡

3 그의 자동차는 도서관 뒤에 있다.

his   the library   car   behind   is

➡

4 많은 선물들이 크리스마스 트리 아래에 있다.

are   many   the Christmas tree   under   gifts

➡

5 자전거 한 대가 벤치 옆에 있다.

next to   a bike   the bench   is

➡

6 소방관들은 그 집 안으로 들어간다.

go   the house   into   the firefighters

➡

7 나의 부모님은 거실에서 이야기하고 계신다.

talking   my parents   in   are   the living room

➡

8 원숭이 한 마리가 나무 위로 오르고 있다.

is   the tree   up   a monkey   climbing

➡

★ bird 새

★ roof 지붕

★ library 도서관

★ gift 선물

★ bench 벤치

★ firefighter 소방관

★ talk 이야기하다

★ living room 거실

★ climb 오르다

정답과 해설 16쪽

다음 우리말과 뜻이 같도록 주어진 단어를 사용하여 문장을 쓰세요.

★ puppy 강아지
★ museum 박물관
★ shelf 선반
★ drawer 서랍
★ bus stop 버스 정류장
★ stairs 계단
★ key 열쇠
★ clock 시계

1 내 뒤에 서지 마라. [stand]

➡ Don't stand behind me.

2 그의 강아지들이 그의 옆에 있다. [puppies]

➡

3 박물관 앞에서 만나자. [meet] [the museum]

➡

4 그 책은 선반 위에 있다. [the book] [the shelf]

➡

5 네 장갑은 서랍 안에 있다. [gloves] [the drawer]

➡

6 그는 거리를 가로질러 걸어가고 있다. [walking] [the street]

➡

Unit
6

7 그들은 버스 정류장에서 기다리고 있다. [waiting] [the bus stop]

➡

in은 비교적 넓은 장소나
공간 내부를 나타낼 때 쓰고,
at은 비교적 좁고 구체적인
장소를 나타낼 때 써.

8 나는 내 신발을 침대 밑에 둔다. [put] [shoes] [the bed]

➡

9 그녀는 계단 아래로 뛰어내려가고 있다. [running] [the stairs]

➡

10 열쇠는 책과 시계 사이에 있다. [the key] [the book] [the clock]

➡

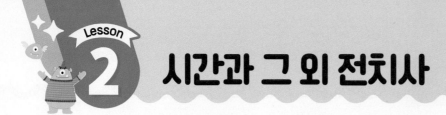

시간과 그 외 전치사

1 시간을 나타내는 전치사

in	월, 연도, 계절	**in** May(5월에), **in** 2024(2024년에), **in** spring(봄에)
	아침, 오후, 저녁	**in** the morning(아침에), **in** the evening(저녁에)
at	구체적인 시간, 시점	**at** 3 o'clock(3시 정각에), **at** noon(정오에), **at** night(밤에)
on	요일, 날짜, 특정한 날	**on** May 4th(5월 4일에), **on** my birthday(내 생일에)
before	~ 전에	**before** breakfast(아침 식사 전에), **before** class(수업 전에)
after	~ 후에	**after** school(방과 후에), **after** lunch(점심 식사 후에)

I get up early **in** the morning. 나는 아침에 일찍 일어난다.

We have a party **on** Christmas day. 우리는 크리스마스 날에 파티를 한다.

> **Tip** 전치사 on을 써서 요일을 나타낼 때 요일 뒤에 -s를 붙이면 '~마다'라는 뜻이 돼요.

We watch movies **on Saturdays**. 우리는 토요일마다 영화를 본다.

She goes to the store **on Mondays**. 그녀는 월요일마다 그 가게에 간다.

2 그 밖의 다양한 전치사

about	~에 관한, ~에 대한	**about** animals(동물에 관한)
for	~를 위해	**for** my parents(나의 부모님을 위해)
by	(교통) ~로, ~을 타고	**by** airplane(비행기로), **by** train(기차를 타고)
to	~로, ~까지, ~에게	**to** school(학교로 / 학교까지), **to** my friend(내 친구에게)
with	(사람) ~와 함께, (도구) ~로, ~을 가지고	**with** my family(나의 가족과 함께) **with** a pen(펜으로), **with** a ball(공을 가지고)
from	~에서, ~로부터	**from** the river(강에서), **from** Korea(한국으로부터) ♦ be from / come from(~출신이다 / ~로부터 오다)

She cooks **for** her children. 그녀는 자녀들을 위해 요리한다.

This book is **about** Korean history. 이 책은 한국 역사에 관한 것이다.

> **Tip** from A to B는 '(시간·장소) A부터 B까지'라는 뜻을 나타내요.

The bus runs **from** 11 a.m. **to** 10 p.m. 그 버스는 오전 11시부터 오후 10시까지 운행한다.

The bus runs **from** the hotel **to** the airport. 그 버스는 호텔에서부터 공항까지 운행한다.

정답과 해설 16쪽

A 다음 주어진 두 단어 중에서 알맞은 전치사를 고르세요.

1 I go there （by） at train.

2 Let's meet at on Monday.

3 This cake is for after my parents.

4 I watch a movie with in my friends.

5 I like swimming at in summer.

6 The concert starts by at 5 o'clock.

★ train 기차
★ summer 여름
★ concert 콘서트
★ start 시작하다
★ send 보내다
★ postcard 엽서
★ spain 스페인
★ universe 우주

Unit 6

B 다음 주어진 뜻을 보고 <보기>에서 알맞은 말을 골라 빈칸에 쓰세요.

보기   with   by   about   to   for   from

1 She sends a postcard to Amy. ~에게

2 Pablo and Manuel are ___ Spain. ~ 출신이다

3 My father goes to work ___ bike. ~를 타고

4 I go to the museum ___ my friend. ~와 함께

5 We buy some flowers ___ Peter. ~를 위해

6 They watch a movie ___ the universe. ~에 대한

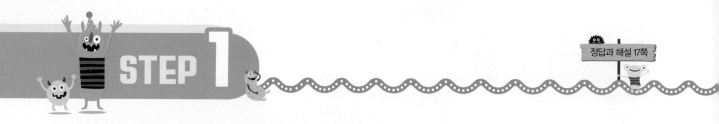

다음 우리말과 뜻이 같도록 빈칸에 알맞은 전치사를 쓰세요.

1 이 이야기는 음악에 관한 것이다.

➡ This story is [about] music.

2 Olivia는 점심 식사 후에 산책을 한다.

➡ Olivia takes a walk [ ] lunch.

3 그 상점은 8시에 연다.

➡ The shop opens [ ] 8 o'clock.

4 그 아이는 장난감을 가지고 논다.

➡ The kid plays [ ] a toy.

5 그는 배를 타고 그 섬을 방문한다.

➡ He visits the island [ ] ship.

6 Benny는 식사 전에 손을 씻는다.

➡ Benny washes his hands [ ] meals.

7 나는 아침에 약간의 우유를 마신다.

➡ I drink some milk [ ] the morning.

8 이 책은 어린 아이들을 위한 것이다.

➡ This book is [ ] young children.

9 도서관은 학교로부터 멀지 않다.

➡ The library is not far [ ] the school.

10 나의 방학은 8월 15일에 끝난다.

➡ My vacation ends [ ] August 17th.

★ story 이야기
★ music 음악
★ take a walk 산책하다
★ shop 상점, 가게
★ visit 방문하다
★ island 섬
★ ship 배
★ meal 식사
★ young 어린, 젊은
★ far (거리가) 먼
★ vacation 방학
★ end 끝나다
★ August 8월

다음 우리말과 뜻이 같도록 밑줄 친 부분을 바르게 고쳐 문장을 다시 쓰세요.

1 Elsa sends a package <u>by</u> them. Elsa는 그들에게 소포를 보낸다.

➡ Elsa sends a package to them.

★ send 보내다
★ package 소포
★ evening 저녁
★ subway 지하철
★ present 선물
★ exercise 운동하다
★ breakfast 아침 식사
★ letter 편지
★ learn 배우다
★ sea 바다
★ animal 동물

2 They watch TV <u>at</u> the evening. 그들은 저녁에 TV를 본다.

➡

3 Ted goes to bed <u>on</u> 9 p.m. Ted는 오후 9시에 자러 간다.

➡

4 We play the piano <u>from</u> school. 우리는 방과 후에 피아노를 친다.

➡

5 He goes to school <u>at</u> subway. 그는 지하철을 타고 학교에 간다.

➡

6 This present is <u>about</u> Anna. 이 선물은 Anna를 위한 것이다.

➡

> 1번처럼 전치사 뒤에 대명사가 올 경우에는 '목적격'으로 써야 해.

Unit **6**

7 I go to the park <u>in</u> Mondays. 나는 월요일마다 공원에 간다.

➡

8 I exercise <u>after</u> breakfast. 나는 아침 식사 전에 운동한다.

➡

9 She writes a letter <u>in</u> a pen. 그녀는 펜으로 편지를 쓴다.

➡

10 We learn <u>for</u> sea animals. 우리는 바다 동물들에 대해 배운다.

➡

정답과 해설 17쪽

다음 우리말과 뜻이 같도록 주어진 단어를 배열하세요.

1 우리는 그 영화에 대해서 이야기한다.

talk   the movie   we   about

➡ We talk about the movie.

2 나는 아침에 조깅하러 간다.

in   I   the morning   go jogging

➡

3 일요일에 만나지 말자.

not   on   let's   Sunday   meet

➡

4 나는 그들로부터 소식을 듣는다.

them   I   from   the news   hear

➡

5 너는 연필로 숙제를 한다.

a pencil   you   with   do   your homework

➡

6 우리는 봄에 나비들을 볼 수 있다.

can   spring   see   in   we   butterflies

➡

7 그는 저녁 식사 전에 책을 읽는다.

reads   before   dinner   a book   he

➡

8 그 기차는 서울에서 부산까지 운행한다.

Seoul   runs   to   the train   Busan   from

➡

★ talk 이야기하다
★ go jogging 조깅하러 가다
★ news 소식
★ pencil 연필
★ homework 숙제
★ spring 봄
★ butterfly 나비
★ dinner 저녁 식사
★ run 운행하다

'요일'을 영어로 말해보자!
Monday(월요일),
Tuesday(화요일),
Wednesday(수요일),
Thursday(목요일),
Friday(금요일),
Saturday(토요일),
Sunday(일요일)

다음 우리말과 뜻이 같도록 주어진 단어를 사용하여 문장을 쓰세요.

1 6월 8일에 만나자. meet   June 8th

➡ Let's meet on June 8th.

2 이 노래는 사랑에 대한 것이다. song   love

➡

3 그들은 버스로 그곳에 간다. go there   bus

➡

4 나는 밤에 TV를 보지 않는다. watch TV   night

➡

5 Hailey는 1부터 10까지 셀 수 있다. count   one   ten

➡

6 그녀는 아침에 차를 마신다. drinks tea   the morning

➡

7 나는 아침 식사 전에 운동한다. exercise   breakfast

➡

8 그녀는 그녀의 부모님과 함께 산다. lives   parents

➡

9 우리는 토요일마다 축구를 한다. play soccer   Saturdays

➡

10 Joshua는 그의 아들을 위해 빵을 굽는다. bakes bread   son

➡

★ June 6월
★ song 노래
★ there 거기에
★ count (수를) 세다
★ tea 차
★ exercise 운동하다
★ live 살다
★ bake (음식을) 굽다

Unit
6

요일, 월을 표현할 때는
첫 글자를 대문자로 써.

전치사   **99**

실전 테스트

[1~2] 다음 우리말 뜻과 영어가 잘못 짝지어진 것을 고르세요.

1
① 한국에 → in Korea
② 화요일에 → on Tuesday
③ 비행기를 타고 → by plane
④ 3월 1일에 → at March 1st
⑤ 건물 뒤에 → behind the building

★ Tuesday 화요일
★ plane 비행기
★ building 건물

2
① 내 옆에 → next me
② 9월에 → in September
③ 다리 밑에 → under the bridge
④ 그의 나라에 관해 → about his country
⑤ 박물관 앞에서 → in front of the museum

★ September 9월
★ bridge 다리
★ country 나라, 국가
★ museum 박물관

[3~4] 다음 빈칸에 공통으로 알맞은 것을 고르세요.

3

• Let's meet _____ Friday.
• The box is _____ the table.

① in   ② on
③ after   ④ under
⑤ behind

★ Friday 금요일

4

• My aunt lives _____ London.
• I go skiing _____ winter.

① in   ② on
③ about   ④ across
⑤ behind

★ theater 극장
★ go skiing 스키 타러 가다

[5~6] 다음 빈칸에 들어갈 말을 바르게 짝지은 것을 고르세요.

5

- 그는 그의 가족에 관해 이야기하고 있다.
  He is talking _____ his family.
- 그 호랑이는 동물원에 있다.
  The tiger is _____ the zoo.

★ tiger 호랑이
★ zoo 동물원

① with — in
② about — for
③ about — in
④ next to — on
⑤ in — between

6

- 우리는 일요일마다 교회에 간다.
  We go to church _____ Sundays.
- 너는 극장 옆에 있는 은행을 볼 수 있다.
  You can see the bank _____ the theater.

★ go to church
  교회에 가다
★ bank 은행

① with — on
② in — by
③ from — in
④ on — next to
⑤ across — next to

Unit **6**

[7~8] 다음 밑줄 친 부분이 잘못 쓰인 것을 고르세요.

7
① I watch TV <u>with he</u>.
② Put the bag <u>on the floor</u>.
③ They play soccer <u>after lunch</u>.
④ She goes to the museum <u>by bus</u>.
⑤ He is drawing a picture <u>with a pencil</u>.

★ floor 바닥
★ draw 그리다
★ picture 그림

8
① She comes <u>by France</u>.
② The bed is <u>next to the desk</u>.
③ We are <u>in front of</u> the library.
④ I often ride a bike <u>in the park</u>.
⑤ I have a violin lesson <u>on Monday</u>.

★ library 도서관
★ ride 타다
★ lesson 수업

[9~12] 다음 우리말과 뜻이 같도록 주어진 단어를 사용하여 문장을 완성하세요.

9

그는 전쟁에 대한 소설을 쓰고 있다.

[war]

➡ He is writing a novel

_____ .

★ war 전쟁
★ novel 소설

10

그 병원은 소방서 뒤에 있다.

[the fire station]

➡ The hospital is

_____ .

★ fire station 소방서
★ hospital 병원

11

너는 아침 식사 전에 손을 씻어야 한다.

[breakfast]

➡ You should wash your hands

_____ .

★ breakfast 아침 식사

12

나는 내 카메라로 사진을 몇 장 찍는다.

[camera]

➡ I take some pictures

_____ .

★ take pictures
사진을 찍다

UNIT 7

There is / are

Lesson 1   There is / are의 의미와 쓰임

Lesson 2   There is / are의 부정문과 의문문

Yes, there is.
응, 있어.

Is there **a book** **on the table?**
탁자 위에 책이 있니?

「There is / are ~」는 '(…에) ~가 있다'라는 의미를 나타내는 표현으로 주로 장소나 위치를 나타내는 말과 함께 쓰여요. 여기서 There는 사람이나 사물의 존재를 나타내기 위해 사용되는 형식상의 주어이고, 그 자체의 의미는 없기 때문에 따로 해석하지 않아요.

Lesson 1

There is / are의 의미와 쓰임

• 알아두기 • 「There + is/are」는 '~이 있다'라는 뜻이에요. There는 형식적인 주어이기 때문에 해석하지 않아요. 뒤에 오는 명사가 실제 주어이고 어떤 명사인지에 따라 be동사의 형태가 달라져요.

주어가 단수명사일 때	There is ~	~이 있다
주어가 복수명사일 때	There are ~	~들이 있다

1 There is

- There is 뒤에는 단수명사나 셀 수 없는 명사가 와요.
- 단수명사 앞에는 항상 a / an 또는 '하나'를 뜻하는 one을 써야 해요.
- 셀 수 없는 명사 앞에 수량 형용사 some, a little을 쓰기도 해요.

There is an eraser on the desk. 책상 위에 지우개 하나가 있다.

There is a camera in the box. 상자 안에 카메라 하나가 있다.

There is some milk in the glass. 컵에 우유가 조금 있다.

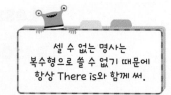

셀 수 없는 명사는 복수형으로 쓸 수 없기 때문에 항상 There is와 함께 써.

2 There are

- There are 뒤에는 복수명사가 와요.
- 복수명사 앞에 숫자(기수) 또는 수량 형용사 many, some, a few 등을 쓰기도 해요.

There are three books on the table. 탁자 위에 책 세 권이 있다.

There are many bananas in the basket. 바구니 안에 바나나가 많이 있다.

There are some students in the classroom. 교실 안에 학생들이 몇 명 있다.

✐Tip 「There + be동사」는 장소를 나타내는 말과 함께 써요.

장소를 나타내는 전치사	in(~ 안에) on(~ 위에) under(~ 아래에) near(~ 근처에) in front of(~ 앞에) behind(~ 뒤에) next to(~ 옆에)

There is a pond **near the park**. 공원 근처에 연못 하나가 있다.

There are two tables **in the living room**. 거실에 탁자 두 개가 있다.

104 UNIT 7

A 다음 주어진 두 단어 중에서 알맞은 것을 고르세요.

1 There   is   (are)   two bags on the table.

2 There   is   are   a ball in the box.

3 There   is   are   some water in the pot.

4 There   is   are   four pens on the desk.

5 There   is   are   some pictures on the wall.

6 There   is   are   a little soup in the bowl.

7 There   is   are   a few bananas in the basket.

★ pot 주전자
★ picture 그림
★ wall 벽
★ bowl 그릇
★ basket 바구니
★ plate 접시
★ dust 먼지
★ oil 기름
★ bottle 병
★ coin 동전
★ flour 밀가루
★ watermelon 수박

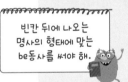
빈칸 뒤에 나오는
명사의 형태에 맞는
be동사를 써야 해.

B 다음 주어진 말 중에서 알맞은 것을 고르세요.

1 There is   (some butter)   some eggs   on the plate.

2 There are   some dust   many photos   in the album.

3 There are   an eraser   some books   on the desk.

4 There is   a little oil   a few coins   in the bottle.

5 There are   little water   many socks   on the chair.

6 There is   some flour   some tomatoes   in the bowl.

7 There are   a watermelon   three apples   in the basket.

Unit 7

다음 우리말과 뜻이 같도록 주어진 단어를 사용하여 문장을 완성하세요. (필요하면 단어의 형태를 바꾸세요.)

★ bat 야구 방망이
★ road 도로
★ glass 유리컵
★ watch 시계
★ wallet 지갑
★ drawer 서랍
★ closet 옷장
★ flour 밀가루
★ cushion 쿠션
★ pencil case 필통
★ sheep 양
★ farm 농장

1 상자 안에 야구 방망이 한 개가 있다. bat

➡ There is a bat in the box.

2 도로 위에 많은 차들이 있다. car

➡ There [   ] a lot of [   ] on the road.

3 유리컵에 주스가 약간 있다. juice

➡ There [   ] some [   ] in the glass.

4 탁자 위에 시계 몇 개가 있다. watch

➡ There [   ] a few [   ] on the table.

5 서랍 안에 지갑 하나가 있다. wallet

➡ There [   ] a [   ] in the drawer.

6 옷장 안에 코트 몇 벌이 있다. coat

➡ There [   ] some [   ] in the closet.

7 컵 안에 밀가루가 약간 있다. flour

➡ There [   ] a little [   ] in the cup.

8 소파 위에 쿠션 몇 개가 있다. cushion

➡ There [   ] a few [   ] on the sofa.

9 책상 위에 필통 하나가 있다. pencil case

➡ There [   ] a [   ] on the desk.

10 농장에 많은 양들이 있다. sheep

➡ There [   ] many [   ] on the farm.

> Some은 '약간의, 몇 개의'라는 뜻으로, 셀 수 없는 명사와 복수명사에 모두 쓸 수 있어. Some juice (약간의 주스) Some pens (몇 개의 펜)

다음 밑줄 친 부분을 바르게 고쳐 문장을 다시 쓰세요.

1 There <u>are</u> some milk in the bottle.

➡ There is some milk in the bottle.

2 There <u>is</u> some leaves on the ground.

➡

3 There are a <u>few</u> butter on the table.

➡

4 There <u>is</u> a few pictures on the wall.

➡

5 There are six <u>child</u> in the room.

➡

6 There <u>is</u> many dolphins in the sea.

➡

7 There are lots of <u>balloon</u> in the sky.

➡

8 There <u>are</u> a spider on the ceiling.

➡

9 There are a <u>little</u> books in my bag.

➡

10 There <u>are</u> a lot of sand on the beach.

➡

★ bottle 병

★ leaf 나뭇잎

★ ground 땅

★ picture 그림

★ wall 벽

★ dolphin 돌고래

★ balloon 풍선

★ spider 거미

★ ceiling 천장

★ sand 모래

★ beach 해변

There is 뒤에는 단수명사나 셀 수 없는 명사가 오고, There are 뒤에는 항상 복수명사가 와야 해.

Unit 7

 정답과 해설 19쪽

다음 밑줄 친 부분을 주어진 말로 바꾸어 문장을 다시 쓰세요.

1 There is <u>a bear</u> in the zoo. many deer

➡ There are many deer in the zoo.

2 There are <u>two trees</u> in the garden. some grass

➡

3 There is <u>a little salt</u> in the jar. a few seeds

➡

4 There are <u>a few keys</u> in the pocket. a little money

➡

5 There are <u>many albums</u> in the box. a camera

➡

6 There is <u>some rice</u> in the bowl. four eggs

➡

7 There are <u>five ducks</u> in the pond. a frog

➡

8 There is <u>a ruler</u> under the desk. many shoes

➡

9 There are <u>a lot of trucks</u> on the road. lots of snow

➡

10 There is <u>a little water</u> on the floor. a few towels

➡

- ★ bear 곰
- ★ deer 사슴
- ★ garden 정원
- ★ grass 잔디, 풀
- ★ jar 병, 항아리
- ★ seed 씨앗
- ★ pocket 주머니
- ★ duck 오리
- ★ pond 연못
- ★ frog 개구리
- ★ ruler 자
- ★ road 도로
- ★ floor 바닥
- ★ towel 수건

a few는 '몇 개의'라는 뜻으로 복수명사와 함께 쓰이고, a little은 '약간의'라는 뜻으로 셀 수 없는 명사와 함께 쓰여.

**다음 우리말과 뜻이 같도록 주어진 단어를 사용하여 문장을 쓰세요.
(필요하면 단어의 형태를 바꾸세요.)**

★ post office 우체국
★ library 도서관
★ mirror 거울
★ wallet 지갑
★ toothbrush 칫솔
★ shelf 선반
★ theater 극장
★ coin 동전
★ pocket 주머니
★ jar 병, 항아리
★ plate 접시
★ nurse 간호사
★ hospital 병원
★ museum 박물관
★ city 도시

1 도서관 근처에 우체국이 하나 있다. a post office   the library

➡ There is a post office near the library.

2 내 방에는 거울이 두 개 있다. mirror   room

➡

3 그의 지갑 안에 돈이 조금 있다. some   money   wallet

➡

4 선반 위에 칫솔 다섯 개가 있다. toothbrush   the shelf

➡

5 나의 집 앞에 극장이 하나 있다. a theater   house

➡

6 내 주머니 안에 동전이 몇 개 있다. few   coin   pocket

➡

한 개가 아닌 여러 개를 의미하는 숫자나 표현이 있다면 명사도 복수형으로 써야겠지?

7 병 안에 많은 꿀이 있다. a lot of   honey   the jar

➡

8 접시 위에 약간의 빵이 있다. some   bread   the plate

➡

9 병원에 간호사들이 몇 명 있다. few   nurse   the hospital

➡

10 그 도시에는 박물관이 많이 있다. many   museum   the city

➡

Unit 7

There is / are **109**

Lesson 2
There is / are의 부정문과 의문문

1 There is / are의 부정문

• 「There + be동사」의 부정문은 be동사 뒤에 not을 붙여서 써요.

• is not은 isn't로, are not은 aren't로 줄여 쓸 수 있어요.

부정문	There is + **not** + 주어 ~.	~가 없다
	There are + **not** + 주어 ~.	~ 들이 없다

There is not(= isn't) any milk in this bottle. 이 병에는 우유가 없다.

There are not(= aren't) many benches in this park. 이 공원에는 벤치가 많지 않다.

Tip 긍정문의 some은 부정문과 의문문에서 any로 바뀌는데, 이때 any는 따로 해석하지 않아요.

There are some pencils on the desk. 책상 위에 연필이 몇 개 있다.

→ **There aren't** any pencils on the desk. 책상 위에 연필이 없다.

→ **Are there** any pencils on the desk? 책상 위에 연필이 있니?

any는 셀 수 없는 명사나
셀 수 있는 명사와
모두 함께 쓸 수 있지만,
셀 수 있는 명사는
반드시 복수형으로 써야 해.

2 There is / are의 의문문

• 「There + be동사」의 의문문은 There와 be동사의 순서를 바꿔서 써요.

• 긍정이면 「Yes, there is/are.」로, 부정이면 「No, there isn't/aren't.」로 대답해요.

	의문문	대답
There is ~	**Is there** + 주어 ~? ~가 있니?	Yes, there is. 응, 있어. No, there isn't. 아니, 없어.
There are ~	**Are there** + 주어 ~? ~들이 있니?	Yes, there are. 응, 있어. No, there aren't. 아니, 없어.

A **Is there a fish** in the fishbowl?
어항에 물고기가 있니?

B Yes, there is.
응, 있어.

A **Is there any sugar** in this coffee?
이 커피에 설탕이 있니?

B No, there isn't.
아니, 없어.

A **Are there any vegetables** in the basket?
그 바구니에 야채가 있니?

B Yes, there are.
응, 있어.

A **Are there many students** in the classroom?
교실에 학생이 많이 있니?

B No, there aren't.
아니, 없어.

A 다음 주어진 말 중에서 알맞은 것을 고르세요.

1 There not is (is not) any salt in the soup.

2 Is there   Are there   a laptop on the desk?

3 Is there   Are there   many fish in the pond?

4 There isn't   aren't   a lot of oil in the bottle.

5 There is not   are not   any apples in the basket.

6 Is there   Are there   any cheese on the hamburger?

★ laptop 노트북 컴퓨터
★ pond 연못
★ hat 모자
★ ant 개미
★ cage 새장
★ drawer 서랍
★ doll 인형

B 다음 의문문에 알맞은 대답을 고르세요.

1 A Is there a hat in the box?
  B Yes, (there is)   there are .

2 A Is there a ball under the desk?
  B No, there is   there isn't .

3 A Are there many ants on the ground?
  B Yes, there are   there is .

4 A Is there a bird in the cage?
  B No, there not   there isn't .

5 A Are there any T-shirts in the drawer?
  B No, they aren't   there aren't .

6 A Are there any dolls on the bed?
  B Yes, there are   there aren't .

'~가 있니?'라는 뜻의
There is / are 의문문은
대답할 때도 there를
써서 대답해.

Unit
7

정답과 해설 19쪽

다음 우리말과 뜻이 같도록 주어진 단어를 사용하여 문장을 완성하세요.
(줄임형으로 쓰지 말고, 필요하면 단어의 형태를 바꾸세요.)

1 방에 장난감이 많이 없다. **toy**

➡ There are not many toys in the room.

2 그 도시에 극장이 있니? **theater**

➡ _____ a _____ in the city?

3 병원에 의사가 많이 있니? **doctor**

➡ _____ many _____ in the hospital?

4 이 병에 소금이 없다. **salt**

➡ There _____ any _____ in this bottle.

5 탁자 위에 종이가 있니? **paper**

➡ _____ any _____ on the table?

6 냉장고에는 달걀이 없다. **egg**

➡ There _____ any _____ in the refrigerator.

7 공원에 벤치가 두 개 있니? **bench**

➡ _____ two _____ in the park?

8 나의 집 근처에 서점이 없다. **bookstore**

➡ There _____ a _____ near my house.

9 네 정원에는 나무가 있니? **tree**

➡ _____ any _____ in your garden?

10 책상 위에 책 네 권이 없다. **book**

➡ There _____ four _____ on the desk.

★ toy 장난감
★ theater 극장
★ city 도시
★ doctor 의사
★ hospital 병원
★ refrigerator 냉장고
★ bench 벤치
★ bookstore 서점
★ near 근처에
★ garden 정원

any 뒤에 셀 수 있는 명사가 올 때는 꼭 '복수형'으로 써야 해.

112 UNIT 7

정답과 해설 20쪽

STEP 2

다음 밑줄 친 부분을 바르게 고쳐 문장을 다시 쓰세요.

1 <u>Is</u> there five potatoes in the bag?

➡ Are there five potatoes in the bag?

2 There <u>aren't</u> a dog in the yard.

➡

3 <u>Are</u> there any jam in the jar?

➡

4 There aren't any <u>bank</u> in the town.

➡

5 There <u>aren't</u> any bread on the plate.

➡

6 There <u>isn't</u> any spiders on the wall.

➡

7 <u>Are</u> there a lot of air in the tire?

➡

8 There isn't <u>some</u> paper in the box.

➡

9 <u>Is</u> there many paintings in the gallery?

➡

10 There <u>isn't</u> any cookies in the basket.

➡

★ **potato** 감자

★ **yard** 마당, 뜰

★ **jar** 병, 항아리

★ **bank** 은행

★ **town** 마을

★ **spider** 거미

★ **air** 바람, 공기

★ **tire** 타이어

★ **painting** 그림

★ **gallery** 미술관

> 문장의 주어가 단수명사이거나 셀 수 없는 명사이면 is를 쓰고 복수명사이면 are를 써야 해.

Unit 7

STEP 3

정답과 해설 20쪽

다음 문장을 지시대로 바꿔 쓰세요.

1 There are many people at the bus stop. 부정문

➡ There aren't[are not] many people at the bus stop.

2 There is some ice on the ground. 의문문

➡

3 There aren't fifty rooms in the hotel. 긍정문

➡

4 There is a lot of soup in the bowl. 부정문

➡

5 There are six dresses in the closet. 의문문

➡

6 Is there any money in your wallet? 긍정문

➡

7 There are two spoons on the table. 부정문

➡

8 There is a large house on the hill. 의문문

➡

9 Are there any subway stations near here? 긍정문

➡

10 There are some vegetables in the basket. 부정문

➡

★ bus stop 버스 정류장

★ ice 얼음

★ ground 땅

★ closet 옷장

★ wallet 지갑

★ hill 언덕

★ station 역, 정류장

★ vegetable 야채

★ basket 바구니

긍정문의 some은
부정문과 의문문에서
any로 바꿔 써야 해.

다음 우리말과 뜻이 같도록 주어진 단어를 사용하여 문장을 쓰세요.

1 농장에 돼지가 많이 있니? many pigs   on the farm

➡ Are there many pigs on the farm?

2 이 도시에는 공항이 없다. an airport   in this city

➡

3 동물원에 기린 네 마리가 있니? giraffes   in the zoo

➡

4 도로에 트럭이 없다. any trucks   on the road

➡

5 강에 물고기가 있니? any fish   in the river

➡

6 병 안에 후추가 없다. any pepper   in the bottle

➡

7 거실에 소파가 있니? a sofa   in the living room

➡

8 내 지갑에 돈이 없다. any money   in my purse

➡

9 냉장고 안에 주스가 있니? any juice   in the refrigerator

➡

10 공원에 의자가 많이 없다. many benches   in the park

➡

★ farm 농장
★ airport 공항
★ giraffe 기린
★ road 도로, 길
★ pepper 후추
★ living room 거실
★ purse 지갑
★ refrigerator 냉장고
★ bench 의자, 벤치

there is / are는
장소를 나타내는
말과 함께 쓰여.
비교적 넓은 장소나
'~안에 있다'는
의미를 나타낼 때는
전치사 in을 사용해.

Unit
7

There is / are   **115**

실전 테스트

[1~2] 다음 빈칸에 들어갈 말로 알맞지 <u>않은</u> 것을 고르세요.

1

> There is _____ on the table.

① a cup　　　　② a banana

③ a pear　　　　④ some plants

⑤ some cheese

★ pear (과일) 배
★ plant 식물

2

> Are there _____ in the box?

① oranges　　　② a bag

③ any toys　　　④ any books

⑤ a lot of balls

3 다음 빈칸에 공통으로 들어갈 말로 알맞은 것을 고르세요.

> • 그 마을에는 박물관이 있다.
> → _____ is a museum in the town.
> • 서랍에 펜이 있니?
> → Are _____ any pens in the drawer?

① It[it]　　　　　② This[this]

③ That[that]　　　④ There[there]

⑤ They[they]

★ museum 박물관
★ town 마을
★ drawer 서랍

4 다음 문장을 부정문으로 만들 때 not이 들어갈 위치를 고르세요.

> ① There ② is ③ a boy ④ in the playground ⑤.

★ playground 운동장

5 다음 빈칸에 들어갈 말을 바르게 짝지은 것을 고르세요.

> • There is not any _____ in the bottle.
> • There are some _____ in the basket.

★ carrot 당근

① milk — milk

② carrots — milk

③ milk — carrots

④ milk — a carrot

⑤ a carrot — milk

6 다음 빈칸에 들어갈 말이 나머지 넷과 <u>다른</u> 것을 고르세요.

① There _____ a cat next to the table.

② There _____ three books on the table.

③ There _____ two dolls under the table.

④ There _____ a lot of apples on the table.

⑤ There _____ four watermelons on the table.

★ watermelon 수박

[7~8] 다음 밑줄 친 부분이 <u>잘못</u> 쓰인 것을 고르세요.

7 ① <u>There are</u> two desks in the room.

② <u>There are</u> some flour in the bowl.

③ <u>There are</u> many people in the park.

④ <u>There is</u> a tomato on the table.

⑤ <u>There is</u> some olive oil in the bottle.

★ flour 밀가루
★ olive oil 올리브유

Unit
7

8 ① <u>Is there</u> a pen on the desk?

② There <u>is not</u> a bird in the sky.

③ <u>Is there</u> any cups on the table?

④ There <u>are not</u> any monkeys in the zoo.

⑤ <u>Are there</u> lots of children in the classroom?

★ bird 새
★ classroom 교실

[9~12] 다음 우리말과 뜻이 같도록 주어진 단어를 사용하여 문장을 완성하세요.

9

마을에 큰 나무 한 그루가 있다.

a big tree

➡ [   ]

in the village.

★ village 마을

10

벽에 그림들이 많이 있다.

a lot of pictures

➡ [   ]

on the wall.

★ picture 그림
★ wall 벽

11

너의 지갑에는 동전이 없다. any coins

➡ [   ]

in your wallet.

★ coin 동전
★ wallet 지갑

12

침대 아래에 책가방이 있니?

a backpack

➡ [   ]

under the bed?

★ backpack 책가방

UNIT 8

비인칭 주어 It

Lesson 1 시간 / 요일 / 날짜를 나타내는 It
Lesson 2 날씨 / 거리 / 명암을 나타내는 It

시간, 요일, 날짜, 날씨, 거리, 명암 등을 나타낼 때 비인칭 주어 It을 사용해요. 여기서 '비인칭'이란 '사람을 칭하지 않는다'라는 의미에요. 비인칭 주어 It은 뜻이 없는 형식적인 주어 역할만 하기 때문에 '그것'이라고 따로 해석하지 않아요.

Lesson 1 · 시간/요일/날짜를 나타내는 it

1 시간

「It is + 시 + 분」 순서로 써서 시간을 나타내요. 이때 '시'와 '분'은 기수(one, two ~)로 써야 해요.

A What **time** is it?
몇 시니?

B It is nine fifteen.
9시 15분이야.

A What **time** is it now?
지금 몇 시니?

B It's five thirty.
5시 30분이야.

'정각'을 나타낼 때는
분을 따로 쓰지 않고
o'clock이라는 표현을 써.

two o'clock 2시 정각
seven o'clock 7시 정각

2 요일

「It is + 요일」 순서로 써서 요일을 나타내요. 이때 요일의 첫 글자는 항상 대문자로 써야 해요.

요일을 나타내는 말	Monday(월요일) Tuesday(화요일) Wednesday(수요일) Thursday(목요일) Friday(금요일) Saturday(토요일) Sunday(일요일)

A What **day** is it today?
오늘 무슨 요일이니?

B It is Monday.
월요일이야.

A What **day** is it today?
오늘 무슨 요일이니?

B It's Saturday.
토요일이야.

3 날짜

- 「It is + 월 + 일」 또는 「It is + (the) 일 + of + 월」 순서로 써서 날짜를 나타내요.
- '일'은 first, second와 같이 순서를 나타내는 서수로 쓰고, '월'의 첫 글자는 대문자로 써요.

월[달]을 나타내는 말	January(1월)	February(2월)	March(3월)	April(4월)
	May(5월)	June(6월)	July(7월)	August(8월)
	September(9월)	October(10월)	November(11월)	December(12월)

A What **date** is it today?
오늘 며칠이니?

B It is March 1st.
3월 1일이야.

A What's the **date** today?
오늘 며칠이니?

B It's the 5th of May, 2020.
2020년 5월 5일이야.

Tip 날짜를 나타낼 때는 주로 서수를 축약해서 써요.

- first → 1st
- second → 2nd
- third → 3rd
- 나머지 서수 → 숫자 뒤에 th

정답과 해설 21쪽

A 다음 주어진 두 단어 중에서 알맞은 것을 고르세요.

1 ~~That~~ (It) is two forty.

2 It is March ~~sixth~~ six .

3 It is two second ten.

4 What time is this it ?

5 Its It's Wednesday.

6 It is October 3rd 3 October .

★ forty 40

★ second 제2, 2번째

★ 3rd(= third) 제3, 3번째

★ date 날짜

'요일'혹은 '월'을 나타내는
단어는 첫 글자를 항상
대문자로 써야 해.

B 다음 의문문에 알맞은 대답을 고르세요.

1 A What time is it?

　 B (It's five ten.) It's a good time.

2 A What day is it today?

　 B I like Monday. It's Monday.

3 A What time is it now?

　 B I have some time. It's three o'clock.

4 A What day is it today?

　 B It's Tuesday. It's September.

5 A What's the date today?

　 B It's February. It's June 7th.

6 A What time is it now?

　 B It's two thirty. It's August 27th.

날짜를 물을 때
What's the date?라는
표현을 쓰기도 하는데
이때 what's는
what is의 줄임말이야.

Unit
8

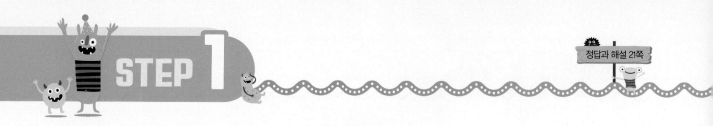

다음 우리말과 뜻이 같도록 <보기>에서 알맞은 말을 골라 빈칸에 쓰세요.
(문장의 첫 글자는 대문자로 쓰세요.)

★ time 시각, 시간
★ date 날짜
★ day 요일, 하루

보기	what time	four fifty	December tenth
	Sunday	the seventh of July	what date
	nine o'clock	three thirty	what day	Friday

1 일요일이다. ➡ It is [Sunday].

순서를 나타내는 숫자를 '서수'라고 해.
1부터 10까지 서수를 말해볼까?
first, second, third, fourth, fifth, sixth, seventh, eighth, ninth, tenth

2 3시 30분이다. ➡ It is [   ].

3 7월 7일이다. ➡ It is [   ].

4 지금 몇 시니? ➡ [   ] is it now?

5 9시 정각이다. ➡ It is [   ].

6 오늘 며칠이니? ➡ [   ] is it today?

7 오늘은 금요일이다. ➡ It is [   ].

8 4시 50분이다. ➡ It is [   ].

9 12월 10일이다. ➡ It is [   ].

10 오늘 무슨 요일이니? ➡ [   ] is it today?

다음 우리말과 뜻이 같도록 밑줄 친 부분을 바르게 고쳐 문장을 다시 쓰세요.

★ Monday 월요일

★ June 6월

★ November 11월

★ September 9월

1 <u>That's</u> six twenty. 6시 20분이다.

➡ It's six twenty.

2 It is <u>monday</u>. 월요일이다.

➡

3 What day is <u>that</u> today? 오늘 무슨 요일이니?

➡

'월, 요일'을 뜻하는
단어는 첫 글자를
대문자로 쓰는 것 잊지마~

4 It is June <u>three</u>. 6월 3일이다.

➡

5 It's five <u>tenth</u>. 5시 10분이다.

➡

6 <u>How</u> time is it now? 지금 몇 시니?

➡

7 It's November <u>four</u>. 11월 4일이다.

➡

8 It is one <u>clock</u>. 1시 정각이다.

➡

Unit
8

9 It's the fifth <u>on</u> September. 9월 5일이다.

➡

10 What date is <u>this</u> today? 오늘은 며칠이니?

➡

다음 우리말과 뜻이 같도록 주어진 단어를 배열하세요.

1 지금은 4시 정각이다.

four · is · now · o'clock · it

➡ It is four o'clock now.

2 지금 몇 시니?

is · now · time · it · what

➡

3 토요일이다.

is · it · Saturday

➡

4 4월 7일이다.

seventh · is · April · it

➡

5 오늘 무슨 요일이니?

today · is · what · it · day

➡

6 2025년 11월 28일이다.

28th · November · it · 2025 · is

➡

7 8시 50분이다.

fifty · is · eight · it

➡

8 2월 2일이다.

is · second · February · it · the · of

➡

★ Saturday 토요일
★ April 4월
★ November 11월
★ February 2월

날짜를 나타낼 때
연도는 맨 마지막에 쓰고
앞에 꼭 콤마(,)를 써야 해.

다음 우리말과 뜻이 같도록 주어진 단어를 사용하여 문장을 쓰세요.
(줄임형으로 쓰지 마세요.)

★ Wednesday 수요일
★ October 10월
★ Friday 금요일
★ January 1월

1 오늘 며칠이니? date

➡ What date is it today? / What's the date today?

2 3시 정각이다. o'clock

➡

3 7시 10분이다. seven

➡

4 수요일이다. Wednesday

➡

5 몇 시니? time

➡

6 10월 2일이다. October

➡

> 시간을 나타낼 때는
> 기수(one, two)를 쓰지만,
> 날짜를 나타낼 때는
> 서수(first, second)를 써.

7 오늘 무슨 요일이니? day

➡

8 금요일이다. Friday

➡

9 2025년 1월 1일이다. January

➡

10 11시 40분이다. eleven

➡

Unit
8

Lesson 2 날씨/거리/명암을 나타내는 It

1 날씨

「It is + 날씨」 순서로 써서 날씨를 나타내요. 날씨를 나타내는 다양한 표현들이 있어요.

날씨를 나타내는 말	hot(더운) cold(추운) warm(따뜻한) cool(시원한) sunny(화창한) windy(바람이 부는) foggy(안개가 낀) cloudy(흐린) rain(비가 내리다) snow(눈이 내리다)

A How is the **weather** today?
오늘 날씨가 어떠니?

B It is sunny.
화창해.

A How's the **weather** in Seoul?
서울은 날씨가 어떠니?

B It's windy.
바람이 불어.

> **Tip** 동사 rain(비가 내리다), snow(눈이 내리다)는 현재진행형으로 써서 날씨를 나타낼 수도 있어요.

It **is raining**. 비가 내리고 있다.
It **is snowing**. 눈이 내리고 있다.

> **Tip** 날씨를 물을 때 의문사 How 대신 What을 쓰기도 해요.

What is the weather <u>like</u>? 날씨가 어떠니?
What's the weather <u>like</u> in London? 런던의 날씨는 어떠니?

> 문장 뒤에 like가 있으면 How가 아닌 What을 써야 한다고 기억하면 돼!

2 거리

가깝고 먼 정도를 표현할 때도 it을 써요. 주로 전치사 from(~부터)이나 to(~까지)와 함께 쓰여요.

A How **far** is it to the airport?
공항까지 얼마나 머니?

B It is about two kilometers.
약 2킬로미터야.

A How **far** is it to your house?
너희 집까지 얼마나 머니?

B It's 500 meters from here.
여기서부터 500미터야.

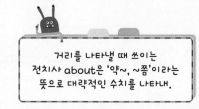

> 거리를 나타낼 때 쓰이는 전치사 about은 '약~, ~쯤'이라는 뜻으로 대략적인 수치를 나타내.

3 명암

It을 사용해서 밝고 어두운 정도를 표현할 수 있어요.

It is dark in the room. 그 방은 어둡다.
It's bright in this classroom. 이 교실은 밝다.

A 다음 주어진 두 단어 중에서 알맞은 것을 고르세요.

1 That (It) is foggy.

2 How What is the weather today?

3 It is sunny sun .

4 This It is bright in my room.

5 It Its is three kilometers from here.

6 How far long is it to your school?

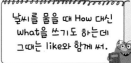
날씨를 물을 때 How 대신 what을 쓰기도 하는데 그때는 like와 함께 써.

B 다음 질문에 알맞은 대답을 고르세요.

1 A How is the weather?
B (It's cloudy.) It's Monday.

2 A How bright is it in the room?
B It's very big. It's so bright.

3 A How far is it to the store?
B It's 200 meters. It's my store.

4 A How dark is it at 9 p.m.?
B It is 8 p.m. It's very dark.

5 A What's the weather like today?
B It is April 2nd. It's raining.

6 A How far is it from the bank to the library?
B It's 500 meters. It's two fifty.

Unit
8

다음 우리말과 뜻이 같도록 <보기>에서 알맞은 말을 골라 빈칸에 쓰세요.
(문장의 첫 글자는 대문자로 쓰세요.)

보기	far	cloudy	raining	bright
	how far	hot	three kilometers	dark

★ bookstore 서점
★ outside 밖에
★ park 공원
★ classroom 교실
★ here 여기에
★ bank 은행

1 오늘은 덥다.

➡ It is [hot] today.

2 그 서점까지는 멀다.

➡ It is [   ] to the bookstore.

3 내 방은 어둡다.

➡ It is [   ] in my room.

4 밖에 비가 내리고 있다.

➡ It is [   ] outside.

동사 rain(비가 내리다)과 snow(눈이 내리다)는 현재진행형으로 써서 날씨를 나타낼 수 있어.

5 공원까지 얼마나 머니?

➡ [   ] is it to the park?

6 뉴욕은 흐리다.

➡ It is [   ] in New York.

7 교실은 밝지 않다.

➡ It is not [   ] in the classroom.

8 여기서 은행까지는 3킬로미터다.

➡ It is [   ] from here to the bank.

다음 우리말과 뜻이 같도록 밑줄 친 부분을 바르게 고쳐 문장을 다시 쓰세요.

1 It is <u>with</u> 30 kilometers. 약 30킬로미터이다.

➡ It is about 30 kilometers.

★ **foggy** 안개가 낀

★ **far** (거리가) 먼

★ **autumn** 가을

★ **cave** 동굴

★ **a lot** 많이

★ **summer** 여름

★ **moon** 달

2 <u>This</u> is foggy. 안개가 꼈다.

➡

3 <u>That</u> is bright outside. 바깥이 밝다.

➡

4 <u>Its</u> not far from here. 여기서 멀지 않다.

➡

> 날씨를 표현하는 형용사 중에는
> 「명사+y」의 형태가 많아.
> 예를 들어,
> wind + y → windy
> cloud + y → cloudy 등이 있지.
> 단, sun과 fog같은 경우는
> 자음을 한 번 더 써야 해.
> sun → sunny
> fog → foggy

5 It is <u>snow</u> now. 지금 눈이 내리고 있다.

➡

6 <u>How</u> is the weather like in autumn? 가을에는 날씨가 어떠니?

➡

7 <u>This</u> is dark in the cave. 그 동굴 안은 어둡다.

➡

8 <u>What</u> is the weather today? 오늘 날씨는 어떠니?

➡

9 <u>That</u> rains a lot in summer. 여름에는 비가 많이 온다.

➡

10 <u>What</u> far is it to the moon? 달까지는 얼마나 머니?

➡

Unit
8

정답과 해설 22쪽

다음 우리말과 뜻이 같도록 주어진 단어를 배열하세요.

★ windy 바람이 부는
★ spring 봄
★ warm 따뜻한
★ winter 겨울
★ subway station 지하철 역
★ concert hall 연주회장

1 바람이 분다.

windy　it　is

➡ It is windy.

2 너의 집에서 멀다.

is　from　house　it　far　your

➡

3 오늘 날씨가 어떠니?

is　like　today　the　what　weather

➡

4 봄에는 따뜻하다.

spring　warm　it　in　is

➡

거리(길이)를 나타내는 표현에는 centimeter(cm), meter(m), kilometer(km) 등이 있어. 센티미터→미터→킬로미터 순으로 단위가 커져.
100 centimeters = 1 meter
1000 meters = 1 kilometer

5 여기에서 약 5미터이다.

five　here　is about　it　meters　from

➡

6 겨울에는 눈이 온다.

in　it　snows　winter

➡

7 지하철 역까지 얼마나 머니?

far　it　the subway station　to　is　how

➡

8 그 연주회장은 밝지 않다.

is　bright　it　the concert hall　not　in

➡

다음 우리말과 뜻이 같도록 주어진 단어를 사용하여 문장을 쓰세요.
(줄임형으로 쓰지 마세요.)

★ living room 거실
★ town 마을
★ beach 해변
★ stairs 계단
★ cool 시원한
★ autumn 가을

1 거실은 밝다. bright in the living room

➡ It is bright in the living room.

2 밖은 춥다. cold outside

➡

3 날씨가 어떠니? how the weather

➡

4 우리 마을에 비가 내리고 있다. raining in my town

➡

> 계절 앞에는 전치사 in을 쓰고, 마을(town), 동네(village), 도시(city), 나라 이름 (Korea)처럼 큰 지역을 나타내는 말 앞에도 in을 써.

5 해변까지는 멀지 않다. far to the beach

➡

6 한국의 날씨는 어떠니? how the weather in Korea

➡

7 우리 집에서 400미터이다. meters from my house

➡

8 계단은 어둡다. dark on the stairs

➡

9 가을에는 시원하다. cool in autumn

➡

10 그 가게까지 얼마나 머니? far to the store

➡

Unit
8

1 다음 밑줄 친 It의 쓰임이 나머지와 다른 하나를 고르세요.

① <u>It</u> is hot today.

② <u>It</u> is January 7th.

③ <u>It</u> is a cell phone.

④ <u>It</u>'s Saturday today.

⑤ <u>It</u>'s two Kilometers to the beach.

★ January 1월
★ cell phone 휴대 전화
★ beach 해변

2 다음 빈칸에 공통으로 알맞은 것을 고르세요.

> • _____ is May fifth.
>
> • _____ is Wednesday.
>
> • _____ is dark outside.

★ fifth 5번째
★ outside 어두운

① This   ② It   ③ These

④ That   ⑤ Those

3 다음 ⓐ와 ⓑ에 공통으로 들어갈 말을 바르게 짝지은 것을 고르세요.

> • A ____ⓐ____ is the weather like?
>   B ____ⓑ____ is raining.
> • A ____ⓐ____ date is it today?
>   B ____ⓑ____ is May fourth.

★ weather 날씨
★ May 5월

① How – It   ② How – That

③ What – It   ④ What – That

⑤ How – This

4 다음 질문에 대한 대답으로 알맞은 것을 고르세요.

> How far is it from here to the hospital?

★ hospital 병원

① Yes, it is.   ② It's Tuesday.

③ It's raining.   ④ It's 4 o'clock.

⑤ It's 3 kilometers.

정답과 해설 23쪽

5 빈칸에 들어갈 말이 나머지와 **다른** 하나를 고르세요.

① _____ is very cold.

② _____ is my mother.

③ _____ is ten fifteen.

④ _____ is the eighth of July.

⑤ _____ is bright in the store.

★ July 7월
★ bright 밝은

6 다음 짝지어진 대화가 **어색한** 것을 고르세요.

① A What day is it?

  B It is February tenth.

② A What time is it now?

  B It is five thirty.

③ A How is the weather?

  B It is warm today.

④ A What date is it?

  B It's October 15th.

⑤ A How far is it to the library?

  B It's about 800 meters.

★ February 2월
★ warm 따뜻한
★ date 날짜
★ far (거리가) 먼
★ library 도서관

[7~8] 다음 밑줄 친 부분이 **잘못** 쓰인 것을 고르세요.

7 ① It is <u>Saturday</u>.

② It is <u>five forty</u>.

③ It is very <u>hot</u> today.

④ It is <u>august</u> fifteenth.

⑤ It's <u>seven kilometers</u> to school.

★ Saturday 토요일
★ hot (날씨가) 더운

Unit
8

8 ① It is <u>Friday</u>.

② It is <u>two ten</u>.

③ It is <u>cool</u> today.

④ It is <u>five kilometers</u>.

⑤ It is <u>the three of September</u>.

★ cool 시원한
★ September 9월

비인칭 주어 It **133**

서술형

[9~12] 다음 우리말과 뜻이 같도록 빈칸에 알맞은 말을 쓰세요.

9

A 날씨가 어떠니?
B 눈이 내리고 있어.

➡ A _____ the weather?

B It is _____ .

★ snow 눈이 내리다

10

A 오늘은 무슨 요일이니?
B 월요일이야.

➡ A _____ is it today?

B It is _____ .

11

A 지금 몇 시니?
B 8시 30분이야.

➡ A _____ is it now?

B It is _____ .

12

A 박물관까지 얼마나 머니?
B 약 5킬로미터야.

➡ A _____ is it to the museum?

B It's about _____ .

★ museum 박물관
★ about 약, 대략

쓰면서 강해지는

초등 영문법 ③

🌈 다음 단어의 뜻을 확인하고, 세 번씩 따라 써보세요.

1 room 방	room 방		
2 trust 믿다			
3 bakery 빵집, 제과점			
4 vacation 휴가			
5 sick 아픈			
6 cookie 쿠키			
7 hobby 취미			
8 garlic 마늘			
9 subject 과목			
10 textbook 교과서			

☁ 다음 단어의 뜻을 확인하고, 세 번씩 따라 써보세요.

11 **fruit** 과일	fruit 과일		
12 **voice** 목소리			
13 **season** 계절			
14 **animal** 동물			
15 **upset** 기분이 안 좋은			
16 **lunch** 점심식사			
17 **sleep** 자다			
18 **restaurant** 식당			
19 **sweater** 스웨터			
20 **favorite** 가장 좋아하는			

😊 공부한 날짜: _____ 월 _____ 일   😊 내가 맞춘 문제: _____ 개 / 20

✏️ 정답과 해설 25쪽

🌈 다음 우리말 뜻에 맞는 영어 단어를 쓰세요.

1 방

2 믿다

3 빵집, 제과점

4 휴가

5 아픈

6 쿠키

7 취미

8 마늘

9 과목

10 교과서

🌈 다음 영어 단어의 우리말 뜻을 쓰세요.

11 fruit

12 voice

13 season

14 animal

15 upset

16 lunch

17 sleep

18 restaurant

19 sweater

20 favorite

☺ 공부한 날짜: _____ 월 _____ 일   ☺ 내가 맞춘 문제: _____ 개 / 10

✎ 정답과 해설 **25**쪽

다음 영어 문장의 우리말 뜻을 쓰세요.

1 Who is your father?

➡ 누가 너의 아버지시니?

2 Whose pencil case is that?

➡ _____

3 What is your favorite song?

➡ _____

4 When does she play the violin?

➡ _____

5 Where is the bakery?

➡ _____

6 How is the new room?

➡ _____

7 Why do you like pandas?

➡ _____

8 Who sleeps on the sofa?

➡ _____

9 What subject does he teach?

➡ _____

10 Whose umbrella is this?

➡ _____

😊 공부한 날짜: _____ 월 _____ 일   😊 내가 맞춘 문제: _____ 개 / 10

✎ 정답과 해설 25쪽

🌈 다음 우리말과 뜻이 같도록 주어진 단어를 사용하여 영어로 문장을 쓰세요.

1 누가 아프니? **sick**

➡ Who is sick?

_____

2 이것은 누구의 카메라니? **camera**

➡ _____

3 너의 취미는 무엇이니? **hobby**

➡ _____

4 그의 생일은 언제니? **birthday**

➡ _____

5 그 식당은 어디에 있니? **the restaurant**

➡ _____

6 너는 어떻게 학교에 가니? **go to school**

➡ _____

7 그녀는 왜 마늘을 싫어하니? **hate garlic**

➡ _____

8 누가 이 쿠키들을 원하니? **cookies**

➡ _____

9 너는 무슨 과일을 좋아하니? **fruit**

➡ _____

10 너는 언제 점심을 먹니? **eat lunch**

➡ _____

✎ 정답과 해설 25쪽

🌈 **다음 우리말과 뜻이 같도록 영어로 문장을 쓰세요.**

1 누가 영어를 가르치니?

➡ Who teaches English? _____

2 이것은 누구의 목소리니?

➡ _____

3 네가 가장 좋아하는 동물은 무엇이니?

➡ _____

4 너의 휴가는 언제니?

➡ _____

5 그는 어디에서 축구를 하니?

➡ _____

6 이 스웨터는 어떠니?

➡ _____

7 너는 왜 그녀를 믿니?

➡ _____

8 이것들은 누구의 교과서니?

➡ _____

9 너는 무슨 계절을 좋아하니?

➡ _____

10 그녀는 왜 기분이 안 좋니?

➡ _____

☁️ 다음 단어의 뜻을 확인하고, 세 번씩 따라 써보세요.

1 run 달리다	run 달리다		
2 moon 달			
3 album 앨범			
4 stamp 우표			
5 rope 줄, 끈			
6 high 높게, 높은			
7 turtle 거북이			
8 collect 모으다			
9 people 사람들			
10 exercise 운동하다			

다음 단어의 뜻을 확인하고, 세 번씩 따라 써보세요.

11 card 카드	card 카드		
12 hill 언덕			
13 tea 차			
14 deep 깊은			
15 school 학교			
16 butter 버터			
17 safe 안전한			
18 peanut 땅콩			
19 sugar 설탕			
20 stadium 경기장			

🖊 정답과 해설 26쪽

🌈 다음 우리말 뜻에 맞는 영어 단어를 쓰세요.

1	달리다		6	높게, 높은	
2	달		7	거북이	
3	앨범		8	모으다	
4	우표		9	사람들	
5	줄, 끈		10	운동하다	

🌈 다음 영어 단어의 우리말 뜻을 쓰세요.

11	card		16	butter	
12	hill		17	safe	
13	tea		18	peanut	
14	deep		19	sugar	
15	school		20	stadium	

😊 공부한 날짜: _____월 _____일   😊 내가 맞춘 문제: _____ 개 / 10

✎ 정답과 해설 26쪽

🌈 **다음 영어 문장의 우리말 뜻을 쓰세요.**

1 How tall is Jack?

➡ Jack은 얼마나 키가 크니?

2 How many eggs does she buy?

➡ _____

3 How old is the turtle?

➡ _____

4 How much sugar do you need?

➡ _____

5 How early does he get up?

➡ _____

6 How many letters do you write?

➡ _____

7 How much coffee does he drink?

➡ _____

8 How long do you study math?

➡ _____

9 How bright is the moon?

➡ _____

10 How many photos are there in your album?

➡ _____

✎ 정답과 해설 26쪽

🌈 **다음 우리말과 뜻이 같도록 주어진 단어를 사용하여 영어로 문장을 쓰세요.**

1 이 치마는 얼마니?　 this skirt

➡ How much is this skirt?

2 저 언덕은 얼마나 높니?　 high 　 that hill

➡ _____

3 그 경기장은 얼마나 크니?　 large 　 the stadium

➡ _____

4 너는 얼마나 많은 스포츠를 하니?　 sports 　 play

➡ _____

5 그 바다는 얼마나 깊니?　 deep 　 the sea

➡ _____

6 너는 얼마나 많은 사람들을 초대하니?　 people 　 invite

➡ _____

7 너는 얼마나 많은 버터가 필요하니?　 butter 　 need

➡ _____

8 그는 얼마나 빨리 달리니?　 fast 　 run

➡ _____

9 그녀는 얼마나 많은 잼을 원하니?　 jam 　 want

➡ _____

10 고래는 얼마나 오래 사니?　 long 　 a whale 　 live

➡ _____

✎ 정답과 해설 26쪽

🌈 **다음 우리말과 뜻이 같도록 영어로 문장을 쓰세요.**

1 그것은 얼마나 안전하니?

➡ How safe is it?

2 그는 얼마나 많은 땅콩을 먹니?

➡ _____

3 너는 몇 살이니?

➡ _____

4 너는 얼마나 많은 종이가 필요하니?

➡ _____

5 이 줄은 얼마나 기니?

➡ _____

6 Tom은 얼마나 많은 차를 마시니?

➡ _____

7 그들은 얼마나 자주 운동하니?

➡ _____

8 우리는 얼마나 많은 카드를 가지고 있니?

➡ _____

9 너의 학교는 얼마나 머니?

➡ _____

10 너는 얼마나 많은 우표를 모으니?

➡ _____

다음 단어의 뜻을 확인하고, 세 번씩 따라 써보세요.

1 sit 앉다	sit 앉다		
2 open 열다			
3 answer 대답하다			
4 drive 운전하다			
5 arrive 도착하다			
6 park 주차하다			
7 festival 축제			
8 machine 기계			
9 true 사실인			
10 stay 머무르다			

🌈 다음 단어의 뜻을 확인하고, 세 번씩 따라 써보세요.

11 find 찾다	find 찾다	
12 enter 들어가다		
13 rich 부자인, 부유한		
14 here 여기에		
15 spicy 매운		
16 printer 프린터		
17 jacket 재킷		
18 number 숫자		
19 solve (문제를) 풀다		
20 passport 여권		

🔖 정답과 해설 27쪽

🌈 다음 우리말 뜻에 맞는 영어 단어를 쓰세요.

1 앉다 ⬜

2 열다 ⬜

3 대답하다 ⬜

4 운전하다 ⬜

5 도착하다 ⬜

6 주차하다 ⬜

7 축제 ⬜

8 기계 ⬜

9 사실인 ⬜

10 머무르다 ⬜

🌈 다음 영어 단어의 우리말 뜻을 쓰세요.

11 find ⬜

12 enter ⬜

13 rich ⬜

14 here ⬜

15 spicy ⬜

16 printer ⬜

17 jacket ⬜

18 number ⬜

19 solve ⬜

20 passport ⬜

😊 공부한 날짜: _____ 월 _____ 일   😊 내가 맞춘 문제: _____ 개 / 10

🖉 정답과 해설 **27**쪽

🌈 **다음 영어 문장의 우리말 뜻을 쓰세요.**

1 I can ride a horse.

➡ 나는 말을 탈 수 있다.

2 It may rain tonight.

➡ _____

3 Can you drive a car?

➡ _____

4 Dina can make sandwiches.

➡ _____

5 You may go to the festival.

➡ _____

6 They can't use the machine.

➡ _____

7 Can you remember the number?

➡ _____

8 May I borrow your umbrella?

➡ _____

9 He can't enter the room now.

➡ _____

10 You may not use your cell phone.

➡ _____

✎ 정답과 해설 27쪽

🌈 **다음 우리말과 뜻이 같도록 can을 사용하여 문장을 쓰세요.**

1 내가 여기에 앉아도 되니? sit   here

➡ Can I sit here?
_____

2 그는 노래를 잘 부를 수 없다. sing   well

➡ _____

3 그는 그 문제를 풀 수 있니? solve   the problem

➡ _____

4 Olivia는 매운 음식을 먹을 수 없다. eat   spicy food

➡ _____

5 내가 너의 카메라를 빌려도 되니? borrow   your camera

➡ _____

6 Steven은 기타를 연주할 수 있다. play   the guitar

➡ _____

7 그녀는 그 상자들을 옮길 수 있니? carry   the boxes

➡ _____

8 나는 내 여권을 찾을 수 없다. find   my passport

➡ _____

9 너는 그 질문에 대답할 수 있니? answer   the question

➡ _____

10 그들은 하나의 집을 지을 수 있다. build   a house

➡ _____

✎ 정답과 해설 27쪽

🌈 **다음 우리말과 뜻이 같도록 may를 사용하여 문장을 쓰세요.**

1 그는 부자가 아닐지도 모른다.

➡ He may not be rich.

2 너는 여기에 머물러도 된다.

➡ _____

3 제가 이 차를 운전해도 되나요?

➡ _____

4 너는 지금 피아노를 연주해도 된다.

➡ _____

5 그녀는 여기에 주차해서는 안 된다.

➡ _____

6 그들은 일찍 도착할지도 모른다.

➡ _____

7 너는 내 자켓을 입어도 된다.

➡ _____

8 제가 이 프린터를 써도 되나요?

➡ _____

9 그것은 사실이 아닐지도 모른다.

➡ _____

10 너는 신발을 신어서는 안 된다.

➡ _____

Unit 4 **조동사 (2)**

다음 단어의 뜻을 확인하고, 세 번씩 따라 써보세요.

1 tie 넥타이	*tie* 넥타이		
2 river 강			
3 take 먹다, 타다			
4 read 읽다			
5 send 보내다			
6 throw 던지다			
7 leave 떠나다			
8 rude 무례한			
9 rule 규칙			
10 waste 낭비하다			

다음 단어의 뜻을 확인하고, 세 번씩 따라 써보세요.

11 face 얼굴	face 얼굴		
12 miss 놓치다, 빠지다			
13 pick (꽃을) 꺾다			
14 break (규칙을) 어기다			
15 careful 조심하는			
16 market 시장			
17 stone 돌			
18 medicine 약			
19 job 직업, 일			
20 seatbelt 안전벨트			

✏ 정답과 해설 28쪽

🌈 **다음 우리말 뜻에 맞는 영어 단어를 쓰세요.**

1 넥타이

2 강

3 먹다, 타다

4 읽다

5 보내다

6 던지다

7 떠나다

8 무례한

9 규칙

10 낭비하다

🌈 **다음 영어 단어의 우리말 뜻을 쓰세요.**

11 face

12 miss

13 pick

14 break

15 careful

16 market

17 stone

18 medicine

19 job

20 seatbelt

☺ 공부한 날짜: _____ 월 _____ 일   ☺ 내가 맞춘 문제: _____ 개 / 10

✎ 정답과 해설 28쪽

🌈 **다음 영어 문장의 우리말 뜻을 쓰세요.**

1 You must wash your hands.

➡ 너는 손을 씻어야 한다. _____

2 Should I leave tomorrow?

➡ _____

3 You must not cross the street.

➡ _____

4 We should not throw stones.

➡ _____

5 We have to be careful.

➡ _____

6 You should find a new job.

➡ _____

7 He doesn't have to eat dinner.

➡ _____

8 She should take some medicine.

➡ _____

9 They must wear seatbelts.

➡ _____

10 You should not break the rules.

➡ _____

✎ 정답과 해설 28쪽

🌈 다음 우리말과 뜻이 같도록 주어진 단어를 사용하여 문장을 쓰세요.
(필요하면 단어의 형태를 바꾸세요.)

1 그녀는 지금 집에 가야 한다. have to   go home now

➡ She has to go home now.

2 너는 시간을 낭비해서는 안 된다. must   waste time

➡ _____

3 나는 그 규칙을 따라야 한다. must   follow the rules

➡ _____

4 그는 넥타이를 할 필요가 없다. have to   wear a tie

➡ _____

5 너는 택시를 타야 한다. have to   take a taxi

➡ _____

6 우리는 그 버스를 놓쳐서는 안 된다. must   miss the bus

➡ _____

7 나는 시장에 갈 필요가 없다. have to   go to the market

➡ _____

8 그들은 Tom의 집을 찾아야 한다. must   find Tom's house

➡ _____

9 너는 강에서 수영해서는 안 된다. must   swim in the river

➡ _____

10 우리는 우리의 숙제를 끝내야 한다. must   finish our homework

➡ _____

😊 공부한 날짜: _____ 월 _____ 일 😊 내가 맞춘 문제: _____ 개 / 10

✎ 정답과 해설 28쪽

🌈 다음 우리말과 뜻이 같도록 should를 사용하여 문장을 쓰세요.
(부정문은 줄임형으로 쓰세요.)

1 나는 이 책을 읽어야 한다.

➡ I should read this book.

2 그는 저 문을 열어서는 안 된다.

➡ _____

3 우리는 일찍 떠나는 게 좋을까?

➡ _____

4 너는 너의 얼굴을 씻어야 한다.

➡ _____

5 그녀는 이 편지들을 보내야 한다.

➡ _____

6 그들은 무례해서는 안 된다.

➡ _____

7 너는 저 컴퓨터를 사야 한다.

➡ _____

8 우리는 저 꽃들을 꺾어서는 안 된다.

➡ _____

9 그는 이 자동차를 운전해야 하니?

➡ _____

10 너는 종이를 낭비해서는 안 된다.

➡ _____

☁ 다음 단어의 뜻을 확인하고, 세 번씩 따라 써보세요.

1 key 열쇠	key 열쇠		
2 bring 가져오다			
3 draw 그리다			
4 jump 뛰다			
5 afraid 두려워하는			
6 shy 부끄러워하는			
7 choose 고르다			
8 lose 잃어버리다			
9 match 성냥			
10 continue 계속하다			

Unit 5 명령문

다음 단어의 뜻을 확인하고, 세 번씩 따라 써보세요.

11 color 색	color 색		
12 basketball 농구			
13 hold 잡다			
14 lie 거짓말			
15 wallet 지갑			
16 push 누르다			
17 stop 멈추다			
18 loudly 큰 소리로			
19 touch 만지다			
20 sandcastle 모래성			

😊 공부한 날짜: _____ 월 _____ 일   😊 내가 맞춘 문제: _____ 개 / 20

✏️ 정답과 해설 29쪽

🌈 다음 우리말 뜻에 맞는 영어 단어를 쓰세요.

1 열쇠

2 가져오다

3 그리다

4 뛰다

5 두려워하는

6 부끄러워하는

7 고르다

8 잃어버리다

9 성냥

10 계속하다

🌈 다음 영어 단어의 우리말 뜻을 쓰세요.

11 color

12 basketball

13 hold

14 lie

15 wallet

16 push

17 stop

18 loudly

19 touch

20 sandcastle

🌈 다음 영어 문장의 우리말 뜻을 쓰세요.

1 Drive slowly.

➡ 천천히 운전해라.

2 Let's meet at 6 o'clock.

➡ _____

3 Don't tell a lie.

➡ _____

4 Let's not ride a bicycle.

➡ _____

5 Stop the car.

➡ _____

6 Let's draw a flower.

➡ _____

7 Don't speak loudly here.

➡ _____

8 Let's not play basketball.

➡ _____

9 Never lose your keys.

➡ _____

10 Let's choose the color now.

➡ _____

✎ 정답과 해설 29쪽

🌈 **다음 우리말과 뜻이 같도록 주어진 단어를 사용하여 영어로 문장을 쓰세요.**

1 두려워하지 마라. be afraid

➡ Don't be afraid.

2 로봇을 만들자. make   a robot

➡ _____

3 네 방을 청소해라. clean   room

➡ _____

4 그 영화를 보지 말자. watch   the movie

➡ _____

5 서랍을 열지 마라. open   the drawer

➡ _____

6 너의 친구들을 초대해라. invite   friends

➡ _____

7 모래성을 만들자. make   sandcastle

➡ _____

8 경기를 계속하자. continue   the game

➡ _____

9 절대 침대 위에서 뛰지 마라. jump   on the bed

➡ _____

10 성냥을 가지고 놀지 말자. play with   matches

➡ _____

✎ 정답과 해설 **29**쪽

🌈 **다음 우리말과 뜻이 같도록 영어로 문장을 쓰세요.**

1 부끄러워하지 마라.

➡ Don't be shy.

2 피아노를 연주하자.

➡ _____

3 내 손을 잡아라.

➡ _____

4 너의 지갑을 가져와라.

➡ _____

5 이 버튼을 누르지 마라.

➡ _____

6 저 사탕을 먹지 말자.

➡ _____

7 절대 내 개를 만지지 마라.

➡ _____

8 물을 마시자.

➡ _____

9 그의 편지를 읽지 마라.

➡ _____

10 이 상자를 열지 말자.

➡ _____

다음 단어의 뜻을 확인하고, 세 번씩 따라 써보세요.

1 bake (음식을) 굽다	bake (음식을) 굽다		
2 meal 식사			
3 shop 가게			
4 butterfly 나비			
5 universe 우주			
6 hide 숨다			
7 plate 접시			
8 start 시작하다			
9 postcard 엽서			
10 living room 거실			

Unit 6 전치사

다음 단어의 뜻을 확인하고, 세 번씩 따라 써보세요.

11 lamp 램프, 등	lamp 램프, 등		
12 climb 오르다			
13 pool 수영장			
14 subway 지하철			
15 bus stop 버스 정류장			
16 shelf 선반			
17 ladder 사다리			
18 stairs 계단			
19 package 소포			
20 mailbox 우체통			

😊 공부한 날짜: _____ 월 _____ 일   😊 내가 맞춘 문제: _____ 개 / 20

✎ 정답과 해설 30쪽

🌈 다음 우리말 뜻에 맞는 영어 단어를 쓰세요.

1 (음식을) 굽다 [_____]

2 식사 [_____]

3 가게 [_____]

4 나비 [_____]

5 우주 [_____]

6 숨다 [_____]

7 접시 [_____]

8 시작하다 [_____]

9 엽서 [_____]

10 거실 [_____]

🌈 다음 영어 단어의 우리말 뜻을 쓰세요.

11 lamp [_____]

12 climb [_____]

13 pool [_____]

14 subway [_____]

15 bus stop [_____]

16 shelf [_____]

17 ladder [_____]

18 stairs [_____]

19 package [_____]

20 mailbox [_____]

✎ 정답과 해설 30쪽

🌈 **다음 영어 문장의 우리말 뜻을 쓰세요.**

1 A book is on the shelf.

➡ 책 한 권이 선반 위에 있다. _____

2 He hides behind the door.

➡ _____

3 She is jumping into the pool.

➡ _____

4 The shop opens at 2 p.m.

➡ _____

5 He is walking down the stairs.

➡ _____

6 The package is from Japan.

➡ _____

7 I wash my hands before meals.

➡ _____

8 The sofa is in the living room.

➡ _____

9 This movie is about the universe.

➡ _____

10 The clock is between the lamp and the cup.

➡ _____

✎ 정답과 해설 30쪽

🌈 다음 우리말과 뜻이 같도록 주어진 단어를 사용하여 영어로 문장을 쓰세요.

1 겨울에는 춥다. cold winter

➡ It is cold in winter.

2 그녀는 점심 식사 후에 낮잠을 잔다. takes a nap lunch

➡ _____

3 우체통 하나가 나무 아래에 있다. a mailbox the tree

➡ _____

4 그는 사다리를 오르고 있다. climbing the ladder

➡ _____

5 그 접시는 탁자 위에 있다. the plate the table

➡ _____

6 새 한 마리가 하늘을 가로질러 난다. a bird flies the sky

➡ _____

7 Jane은 버스 정류장에서 기다리고 있다. waiting the bus stop

➡ _____

8 그들은 건물 밖으로 나오고 있다. coming the building

➡ _____

9 나는 연필로 편지를 쓴다. write a letter a pencil

➡ _____

10 그는 그의 부모님에게 엽서를 보낸다. sends a postcard his parents

➡ _____

ⓒ 공부한 날짜: _____월 _____일   ⓒ 내가 맞춘 문제: _____개 / 10

✎ 정답과 해설 30쪽

🌈 **다음 우리말과 뜻이 같도록 영어로 문장을 쓰세요.**

1 나의 고양이는 내 침대 밑에 있다.

➡ My cat is under my bed.

2 Jenny는 캐나다에 산다.

➡ _____

3 나는 방과 후에 피아노를 연주한다.

➡ _____

4 그녀의 파티는 8시 정각에 시작한다.

➡ _____

5 이 책은 사랑에 대한 것이다.

➡ _____

6 나비 한 마리가 너의 손 위에 있다.

➡ _____

7 그녀는 Peter 옆에 서 있다.

➡ _____

8 그의 차는 나의 집 앞에 있다.

➡ _____

9 너는 너의 아들을 위해 빵을 굽는다.

➡ _____

10 우리는 지하철을 타고 학교에 간다.

➡ _____

🌈 다음 단어의 뜻을 확인하고, 세 번씩 따라 써보세요.

1 cage 새장	cage 새장		
2 pot 주전자			
3 dust 먼지			
4 pond 연못			
5 near 근처에			
6 farm 농장			
7 theater 극장			
8 cushion 쿠션			
9 ground 땅			
10 painting 그림			

다음 단어의 뜻을 확인하고, 세 번씩 따라 써보세요.

11 leaf 나뭇잎	leaf 나뭇잎		
12 duck 오리			
13 road 도로			
14 closet 옷장			
15 library 도서관			
16 glass 유리컵			
17 sheep 양			
18 pocket 주머니			
19 wall 벽			
20 station 역, 정류장			

😊 공부한 날짜: _____ 월 _____ 일   😊 내가 맞춘 문제: _____ 개 / 20

✏️ 정답과 해설 31쪽

🌈 다음 우리말 뜻에 맞는 영어 단어를 쓰세요.

1 새장

2 주전자

3 먼지

4 연못

5 근처에

6 농장

7 극장

8 쿠션

9 땅

10 그림

🌈 다음 영어 단어의 우리말 뜻을 쓰세요.

11 leaf

12 duck

13 road

14 closet

15 library

16 glass

17 sheep

18 pocket

19 wall

20 station

🌈 **다음 영어 문장의 우리말 뜻을 쓰세요.**

1 There is a duck in the pond.

➡ 연못에 오리 한 마리가 있다.

2 Is there a post office near here?

➡ _____

3 There are not any birds in the cage.

➡ _____

4 There is some butter on the plate.

➡ _____

5 Is there a sofa in the living room?

➡ _____

6 There are many sheep on the farm.

➡ _____

7 There is not much tea in the pot.

➡ _____

8 There are lots of leaves on the tree.

➡ _____

9 There is not a pencil on the desk.

➡ _____

10 Are there any coins in your pocket?

➡ _____

☺ 공부한 날짜: _____ 월 _____ 일   ☺ 내가 맞춘 문제: _____ 개 / 10

✎ 정답과 해설 31쪽

🌥 **다음 우리말과 뜻이 같도록 주어진 단어를 사용하여 영어로 문장을 쓰세요.**
(부정문은 줄임형으로 쓰세요.)

1 너희 집 근처에 도서관이 있니?   a library   near your house

➡ Is there a library near your house?

2 탁자 위에 지도 하나가 있다.   a map   on the table

➡ _____

3 그 나라에 다섯 개의 공항이 있다.   five airports   in the country

➡ _____

4 내 지갑 안에 돈이 없다.   any money   in my wallet

➡ _____

5 이 공원에 많은 벤치가 있니?   many benches   in this park

➡ _____

6 병 안에 설탕이 조금 있다.   a little sugar   in the bottle

➡ _____

7 땅 위에 몇 개의 감자가 있다.   some potatoes   on the ground

➡ _____

8 화장실에 칫솔이 있니?   a toothbrush   in the bathroom

➡ _____

9 그 역 옆에 호텔이 없다.   a hotel   next to the station

➡ _____

10 교실 안에 학생들이 없다.   any students   in the classroom

➡ _____

😊 공부한 날짜: _____ 월 _____ 일   😊 내가 맞춘 문제: _____ 개 / 10

✎ 정답과 해설 31쪽

🌈 다음 우리말과 뜻이 같도록 주어진 단어와 some / any를 사용하여 영어로 문장을 쓰세요.

1 침대 아래에 약간의 먼지가 있다. under the bed

➡ There is some dust under the bed.

2 유리컵에 주스가 있니? in the glass

➡ _____

3 이 도시에 극장이 없다. in this city

➡ _____

4 벽에 그림이 몇 개 있다. on the wall

➡ _____

5 소파 위에 몇 개의 쿠션이 있다. on the sofa

➡ _____

6 네 방 안에 옷장이 있니? in your room

➡ _____

7 병 안에 우유가 조금 있다. in the bottle

➡ _____

8 연못 안에 물고기가 없다. in the pond

➡ _____

9 접시 위에 소금이 없다. on the plate

➡ _____

10 도로 위에 자동차들이 있니? on the road

➡ _____

🌥 다음 단어의 뜻을 확인하고, 세 번씩 따라 써보세요.

1 far 먼	far 먼		
2 cave 동굴			
3 warm 따뜻한			
4 foggy 안개가 낀			
5 Wednesday 수요일			
6 dark 어두운			
7 snow 눈이 내리다			
8 February 2월			
9 Thursday 목요일			
10 windy 바람이 부는			

다음 단어의 뜻을 확인하고, 세 번씩 따라 써보세요.

11 cold 추운	cold 추운	
12 spring 봄		
13 rain 비가 내리다		
14 bright 밝은		
15 November 11월		
16 summer 여름		
17 date 날짜		
18 Monday 월요일		
19 weather 날씨		
20 September 9월		

😊 공부한 날짜: _____월_____일　　😊 내가 맞춘 문제: _____개 / 20

✎ 정답과 해설 32쪽

🌈 다음 우리말 뜻에 맞는 영어 단어를 쓰세요.

1 먼

2 동굴

3 따뜻한

4 안개가 낀

5 수요일

6 어두운

7 눈이 내리다

8 2월

9 목요일

10 바람이 부는

🌈 다음 영어 단어의 우리말 뜻을 쓰세요.

11 cold

12 spring

13 rain

14 bright

15 November

16 summer

17 date

18 Monday

19 weather

20 September

✎ 정답과 해설 32쪽

🌈 **다음 영어 문장의 우리말 뜻을 쓰세요.**

1 What date is it?

➡ 오늘 며칠이니?

2 It is Thursday.

➡ _____

3 It is warm in spring.

➡ _____

4 It is not dark outside.

➡ _____

5 It is Monday today.

➡ _____

6 It is eleven twenty.

➡ _____

7 It is snowing in Seoul.

➡ _____

8 It is February 7th, 2021.

➡ _____

9 It is not bright in the living room.

➡ _____

10 How far is it from here to the bookstore?

➡ _____

☺ 공부한 날짜: _____ 월 _____ 일   ☺ 내가 맞춘 문제: _____ 개 / 10

✎ 정답과 해설 32쪽

🌈 다음 우리말과 뜻이 같도록 주어진 단어를 사용하여 영어로 문장을 쓰세요.
(시간과 날짜는 영어로 쓰고, 줄임형으로 쓰지 마세요.)

1 토요일이다. Saturday

➡ It is Saturday.

2 몇 시니? what

➡ _____

3 10월 11일이다. October

➡ _____

4 9시 30분이다. thirty

➡ _____

5 화요일이다. Tuesday

➡ _____

6 날씨가 어떠니? how

➡ _____

7 동굴 안은 어둡다. dark   in the cave

➡ _____

8 런던은 안개가 꼈다. foggy   in London

➡ _____

9 교실은 밝다. bright   in the classroom

➡ _____

10 기차역까지는 멀다. far   to the train station

➡ _____

😊 공부한 날짜: _____ 월 _____ 일   😊 내가 맞춘 문제: _____ 개 / 10

✎ 정답과 해설 **32**쪽

🌈 **다음 우리말과 뜻이 같도록 영어로 문장을 쓰세요.**
(시간과 날짜는 영어로 쓰고, 줄임형으로 쓰지 마세요.)

1 2시 10분이다.

➡ It is two ten.

2 지금 비가 내리고 있다.

➡ _____

3 수요일이다.

➡ _____

4 무슨 요일이니?

➡ _____

5 3시 정각이다.

➡ _____

6 오늘은 바람이 분다.

➡ _____

7 내 방 안은 어둡다.

➡ _____

8 9월 1일이다.

➡ _____

9 11월은 춥다.

➡ _____

10 너의 학교까지는 얼마나 머니?

➡ _____

MEMO

흥미로운 영어 책으로 독해 공부 제대로 하자!

중학 영어
독해 + 내신

READING
적중! 영어독해

110 ~ 130 words

대상: 초등 고학년, 중1

120 ~ 140 words

대상: 중1, 중2

130 ~ 150 words

대상: 중2, 중3

적중! 영어독해 특징

● 다양하고 재미있는 소재의 지문

● 다양한 어휘 테스트(사진, 뜻 찾기, 문장 완성하기, 영영풀이)

● 풍부한 독해 문제(다양한 유형, 영어 지시문, 서술형, 내신형)

● 전 지문 구문 분석 제공

● 꼭 필요한 학습 부가 자료(QR코드, MP3파일, WORKBOOK)

새 교과서에 맞춘 최신 개정판

적중!

중학영문법 3300제

문법 개념 정리	+	내신 대비 문제
출제 빈도가 높은 문법 내용을 표로 간결하게 정리		연습 문제+영작 연습+학교 시험 대비 문제+워크북

1. 최신 개정 교과서 연계표 (중학 영어 교과서의 문법을 분석)

2. 서술형 대비 강화 (최신 출제 경향에 따라 서술형 문제 강화)

3. 문법 인덱스 (책에 수록된 문법 사항을 abc, 가나다 순서로 정리)

쓰면서 강해지는

초등 영문법 ③

[정답과 해설]

Unit 1 의문사 (1)

Lesson 1 who/whose/what

개념확인 ✎9쪽

A
1 Who
2 Whose
3 What
4 Who
5 Whose
6 What
7 What

해석 1 저 소녀는 누구니? 2 이것은 누구의 펜이니? 3 너는 무엇을 먹고 있니? 4 누가 너의 책상을 청소하니? 5 이것은 누구의 방이니? 6 그녀는 어떤 계절을 좋아하니? 7 그녀가 가장 좋아하는 숫자는 무엇이니?

B
1 is
2 is
3 does
4 are
5 does
6 do
7 plays

해석 1 저것은 누구의 시계니? 2 누가 너의 아버지니? 3 그녀는 누구를 만나니? 4 저것들은 누구의 양말이니? 5 그녀는 점심으로 무엇을 먹니? 6 그들은 몇 시에 자니? 7 누가 방에서 피아노를 치니?

STEP 1 ✎10쪽

1 Who 2 Whose 3 Who 4 What
5 Who 6 What 7 Whose 8 Who
9 Whose 10 What

해석 1 A: 그녀는 누구니? B: 그녀는 나의 수학 선생님이야. 2 A: 이것은 누구의 전화기니? B: 그것은 내 거야. 3 A: 누가 그의 이름을 아니? B: Mina가 그의 이름을 알아. 4 A: 그는 어떤 동물을 좋아하니? B: 그는 판다를 좋아해. 5 A: 저 아이들은 누구니? B: 그들은 Brian의 사촌들이야. 6 A: 그녀의 이름은 무엇이니? B: 그녀의 이름은 Susan Brown이야. 7 A: 저것들은 누구의 만화책이니? B: 그것들은 나의 남동생 거야. 8 A: Mary가 누구를 초대하니? B: 그녀는 Jamie와 Stella를 초대해. 9 A: 그는 누구의 남동생이니? B: 그는 Tammy의 남동생이야. 10 A: 너는 방과 후에 무엇을 배우니? B: 나는 방과 후에 발레를 배워.

STEP 2 ✎11쪽

1 Whose house is that? 2 What does she buy? 3 Whose shoes are these? 4 Who pushes the door? 5 Who is that cute baby? 6 Whose notebooks are those? 7 What class do they take? 8 What do you want for dinner? 9 Who does Toby like? 10 What is your favorite subject?

STEP 3 ✎12쪽

1 Whose balloon is that? 2 Who teaches science? 3 What is Steve's hobby? 4 Who does he trust? 5 Whose erasers are those? 6 What do you need? 7 Who are those students? 8 Whose jeans are these? 9 What fruit does he like? 10 Who is your uncle?

STEP 4 ✎13쪽

1 What is that building? 2 Whose voice is this? 3 What does your father do? 4 Who does Simon teach? 5 Whose umbrellas are those? 6 What color does Pam like? 7 Who is your art teacher? 8 Whose puppies are these? 9 What do they write on the paper? 10 Who makes tomato soup?

Lesson 2 when/where/how/why

개념확인 📖 15쪽

A
1 How
2 Why
3 Where
4 When
5 Where
6 How

해석 1 너는 어떻게 지내니? 2 너는 왜 나에게 전화하니? 3 내 교과서들이 어디에 있니? 4 그의 생일은 언제니? 5 그 식당은 어디에 있니? 6 넌 박물관에 어떻게 가니?

B
1 It is sunny.
2 It's on the chair.
3 Because she is kind.
4 She goes there by train.
5 I meet him on Sundays.
6 Because I'm hungry.

해석 1 A: 날씨가 어떠니? B: 맑아. / 월요일이야. 2 A: 내 지갑은 어디에 있니? B: 그것은 나의 것이야. / 그것은 의자 위에 있어. 3 A: 너는 왜 그녀를 좋아하니? B: 그녀가 친절하기 때문이야. / 나는 그녀를 아주 많이 좋아해. 4 A: 그녀는 어떻게 서울에 가니? B: 서울은 큰 도시야. / 그녀는 그곳에 기차를 타고 가. 5 A: 너는 언제 Jake를 만나니? B: 내가 그를 좋아하기 때문이야. / 나는 일요일마다 그를 만나. 6 A: 너는 왜 지금 음식을 사니? B: 내가 배가 고프기 때문이야. / 나는 약간의 음식을 사.

STEP 1 📖 16쪽

1 Why 2 Where 3 How 4 When
5 Why 6 How 7 Where 8 When
9 Where 10 How

STEP 2 📖 17쪽

1 When is her birthday? 2 Why is Mandy crying? 3 Where are they going? 4 How is this sweater? 5 Where do they study? 6 How does Tim go there? 7 Why does she like winter? 8 When do you take the bus?

해석 1 A: 그녀의 생일은 언제니? B: 5월 2일이야. 2 A: Mandy는 왜 울고 있니? B: 그녀는 아프기 때문이야. 3 A: 그들은 어디에 가고 있니? B: 그들은 공원에 가고 있어. 4 A: 이 스웨터 어떠니? B: 그것은 예뻐. 5 A: 그들은 어디에서 공부하니? B: 그들은 교실에서 공부해. 6 A: Tim은 어떻게 그곳에 가니? B: 그는 그곳에 비행기를 타고 가. 7 A: 그녀는 왜 겨울을 좋아하니? B: 그녀가 눈을 좋아하기 때문이야. 8 A: 너는 언제 그 버스를 타니? B: 나는 매일 아침 그 버스를 타.

STEP 3 📖 18쪽

1 Why is she upset? 2 How is the steak? 3 Where do they swim? 4 Why do you hate garlic? 5 When is Children's Day? 6 How is the new room? 7 Why are they yelling? 8 When do you play soccer? 9 How do you make pizza? 10 When does the bakery open?

STEP 4 📖 19쪽

1 How is the movie? 2 Where does Lucas live? 3 Why does he read the book? 4 How do you make cookies? 5 Where is the restroom? 6 When is your summer vacation? 7 Why are they angry? 8 How is the weather? 9 When does he go to school? 10 Why do you study in the library?

실전 테스트 📖 20~22쪽

1 ③ 2 ④ 3 ③ 4 ③ 5 ③ 6 ⑤
7 ③ 8 ① 9 Whose gloves
10 What do 11 How does
12 Why are

1 소유를 묻는 의문사 Whose가 명사 toys 앞에 쓰여서 누구의 장난감인지 묻는 것이 적절하다.
- 이것들은 누구의 장난감이니?

2 각 의문사를 빈칸에 넣어보고 해석이 매끄럽게 되는지 확인한다. 빈칸 뒤에 does가 있으므로 의미상 '누구의' 를 뜻하는 Whose는 쓸 수 없다.
- 그녀는 왜/어떻게/언제/어디서 영어를 배우니?

3 첫 번째 빈칸에는 명사와 함께 쓰여서 '무슨'이라는 뜻을 나타내는 의문사를, 두 번째 빈칸에는 '무엇'이라는 뜻을 나타내는 의문사를 써야 한다. '무슨, 무엇'이라는 의미를 모두 가진 의문사는 What이다.
- 너는 무슨 운동을 좋아하니?
- 너는 지금 무엇을 먹고 있니?

4 ③번은 '무엇'이라는 뜻의 What이 들어가야 하고 나머지는 Who가 적절하다.
① 저 여자분은 누구니?
② 누가 역사를 가르치니?
③ 그의 이름은 무엇이니?
④ 너는 누구를 만나니?
⑤ 저 어린이들은 누구니?

5 첫 번째 문장은 가장 좋아하는 과목이 '무엇'인지 묻는 의문사 What을 써야 한다. 두 번째 문장은 끝에 '시작하다' 라는 의미를 가진 동사 begin이 있는 것으로 보아 '언제' 라는 뜻의 의문사 When이 적절하다.
- 네가 가장 좋아하는 과목은 무엇이니?
- 네 영어 수업은 언제 시작하니?

6 A가 의문사 Where를 써서 물었으므로 장소에 대한 답을 해야 한다. B는 Because를 써서 축구를 좋아하기 때문이라는 이유를 말하고 있으므로 대답으로 알맞지 않다.
① A: 이것은 누구의 휴대폰이니?
   B: Jane의 것이야.
② A: 누가 네 점심을 만드니?
   B: 나의 엄마가 내 점심을 만드셔.
③ A: 너는 어떤 색을 좋아하니?
   B: 나는 보라색을 좋아해.
④ A: 누가 그의 이름을 기억하니?
   B: 내가 그의 이름을 기억해.
⑤ A: 너는 방과 후에 어디서 축구를 하니?
   B: 나는 축구를 좋아하기 때문이야.

7 뒤에 photos라는 명사가 온 것으로 보아 '누구의'라는 뜻의 의문사가 필요하므로, ③의 Who는 Whose로 써야 한다.

① 누가 이 이야기를 좋아하니?
② 이것은 누구의 수건이니?
③ 이것들은 누구의 사진이니?
④ 그는 몇 시에 학교에 가니?
⑤ 너는 이번 주말에 무엇을 하니?

8 주어가 3인칭 단수인 she이므로 ①의 do는 does로 써야 한다.
① 그녀는 언제 요리하니?
② 내 양말이 어디 있니?
③ 너는 그녀의 여동생을 어떻게 아니?
④ Steven은 어디에 사니?
⑤ 너는 왜 웃고 있니?

9 그것들은 민호의 장갑이라고 대답했으므로, '누구의' 것인지 물었을 것이다. 소유를 묻는 의문사 Whose가 맨 앞에 와야 하고 소유의 대상인 gloves가 그 뒤에 오는 것이 적절하다.
- A: 이것들은 누구의 장갑이니?
  B: 그것들은 민호의 장갑이야.

10 아침에 우유를 마신다고 대답했으므로, '무엇을' 마시는지 물었을 것이다. 「What + do/does + 주어 + 동사원형 ~?」 순서로 써야 하므로 의문사 What이 맨 앞에 오고, 주어가 you이므로 do를 쓰는 것이 적절하다.
- A: 너는 아침에 무엇을 마시니?
  B: 나는 아침에 우유 한 잔을 마셔.

11 자전거를 타고 간다고 대답했으므로, '어떻게' 학교에 가는지 물었을 것이다. 방법을 묻는 의문사 How가 맨 앞에 와야 하고, 주어가 3인칭 단수(Mike)이므로 does를 쓰는 것이 적절하다.
- A: Mike는 어떻게 학교에 가니?
  B: 그는 자전거를 타고 학교에 가.

12 아프기 때문이라고 대답했으므로, '왜' 집에 있는지 물었을 것이다. 이유를 묻는 의문사 Why가 맨 앞에 와야 하고, 주어가 you이므로 be동사 are를 쓰는 것이 적절하다.
- A: 너는 왜 집에 있니?
  B: 나는 아프기 때문이야.

Unit 2 의문사 (2)

Lesson 1 How + 형용사/부사

개념 확인
✏ 25쪽

A
1 What	2 How
3 How	4 What
5 How	6 How
7 What	

해석 1 너는 어떤 음식을 좋아하니? 2 그 개는 얼마나 똑똑하니? 3 공항은 얼마나 머니? 4 너는 어떤 운동을 좋아하니? 5 그 끈은 얼마나 튼튼하니? 6 너는 거기에 얼마나 오래 머무르니? 7 너는 어떤 잡지를 읽고 있니?

B
1 tall	2 long
3 old	4 early
5 far	6 often
7 long	

해석 1 너는 키가 얼마나 크니? 2 그 강은 얼마나 기니? 3 너의 조카는 몇 살이니? 4 그는 얼마나 일찍 떠나니? 5 우체국은 얼마나 머니? 6 너는 얼마나 자주 운동을 하니? 7 너는 얼마나 오래 TV를 보니?

STEP 1
✏ 26쪽

1 How old are 2 How cold is 3 How high do 4 How fast does 5 How often do 6 How slowly does 7 How big is 8 How delicious are 9 How long does 10 How far is

STEP 2
✏ 27쪽

1 How early does he get up? 2 How fast does he run? 3 How often do you exercise? 4 How long is the bridge?

5 How old is your father? 6 How tall is your sister? 7 How far is the bank? 8 How long do you study math?

해석 1 A: 그는 얼마나 일찍 일어나니? B: 그는 아침 6시에 일어나. 2 A: 그는 얼마나 빨리 달리니? B: 그는 치타처럼 매우 빨리 달려. 3 A: 너는 얼마나 자주 운동하니? B: 나는 주말마다 운동해. 4 A: 그 다리는 얼마나 기니? B: 그것은 길이가 500미터야. 5 A: 너의 아버지는 연세가 어떻게 되시니? B: 그는 42세야. 6 A: 너의 여동생은 얼마나 키가 크니? B: 그녀는 키가 126센티미터야. 7 A: 은행은 얼마나 머니? B: 그것은 여기서 900미터야. 8 A: 너는 수학을 얼마나 오랫동안 공부하니? B: 나는 수학을 2시간 동안 공부해.

STEP 3
✏ 28쪽

1 How deep is the pool? 2 How long does a turtle live? 3 How tall is the tree? 4 How big is the stadium? 5 How safe is this building? 6 How far is the subway station? 7 How often do you clean your room? 8 How slowly does he drive?

STEP 4
✏ 29쪽

1 How heavy are the boxes? 2 How fast does Kathy run? 3 How long is the ruler? 4 How warm are your gloves? 5 How early does Paul get up? 6 How bright is the moon? 7 How difficult is this job? 8 How hard do you study English? 9 How fresh are those carrots? 10 How long does he play the piano?

개념확인 ✏️ 31쪽

A
1 many
2 much
3 many
4 much
5 many
6 many
7 much

해석 1 그는 얼마나 많은 펜을 원하니? 2 너는 얼마나 많은 설탕이 필요하니? 3 너는 얼마나 많은 운동을 하니? 4 그녀는 얼마나 많은 빵을 먹니? 5 그들은 얼마나 많은 책을 읽니? 6 너는 얼마나 많은 사람들을 아니? 7 그는 얼마나 많은 우유를 마시니?

B
1 water
2 balls
3 salt
4 erasers
5 money
6 cheese
7 pencils

해석 1 너는 얼마나 많은 물을 사용하니? 2 그들은 얼마나 많은 공을 가지고 있니? 3 그녀는 얼마나 많은 소금을 사니? 4 그는 얼마나 많은 지우개를 가지고 있니? 5 너는 얼마나 많은 돈이 필요하니? 6 너는 얼마나 많은 치즈를 먹니? 7 책상 위에 연필이 몇 개 있니?

STEP 1 ✏️ 32쪽

1 many chairs 2 much butter 3 many eggs 4 much money 5 many teachers 6 much paper 7 many towels 8 much oil 9 much coffee 10 many comic books

STEP 2 ✏️ 33쪽

1 How many cars does he have? 2 How much jam do you need? 3 How much milk do you want? 4 How many cats do they have? 5 How much sugar do you eat? 6 How many cups does he wash? 7 How much tea does she drink? 8 How many cards do they buy? 9 How much paper do you use? 10 How many coats are there in the closet?

해석 1 그는 얼마나 많은 자동차를 가지고 있니? 2 너는 얼마나 많은 잼이 필요하니? 3 너는 얼마나 많은 우유를 원하니? 4 그들은 얼마나 많은 고양이를 가지고 있니? 5 너는 얼마나 많은 설탕을 먹니? 6 그는 얼마나 많은 컵을 씻니? 7 그녀는 얼마나 많은 차를 마시니? 8 그들은 얼마나 많은 카드를 사니? 9 너는 얼마나 많은 종이를 사용하니? 10 옷장에 코트가 몇 벌 있니?

STEP 3 ✏️ 34쪽

1 How many notebooks do you want? 2 How many cookies does she eat? 3 How much salt does Susie have? 4 How many candles do you use? 5 How much rice do you have? 6 How many books do you borrow? 7 How much cheese does he eat? 8 How many kiwis do they need? 9 How many toothbrushes does David buy? 10 How much water do you put in the bowl?

해석 1 너는 얼마나 많은 종이를(→ 공책을) 원하니? 2 그녀는 얼마나 많은 빵을(→ 쿠키를) 먹니? 3 Susie는 얼마나 많은 우표를(→ 소금을) 가지고 있니? 4 너는 얼마나 많은 밀가루를(→ 양초를) 사용하니? 5 너는 얼마나 많은 편지를(→ 쌀을) 가지고 있니? 6 너는 얼마나 많은 돈을(→ 책을) 빌리니? 7 그는 얼마나 많은 바나나를(→ 치즈를) 먹니? 8 그들은 얼마나 많은 고기가(→ 키위가) 필요하니? 9 David는 얼마나 많은 꿀을(→ 칫솔을) 사니? 10 너는 그릇에 얼마나 많은 땅콩을(→ 물을) 넣니?

STEP 4 ✏️ 35쪽

1 How much is this car? 2 How many coins do you collect? 3 How much air do we need? 4 How many doughnuts does he eat? 5 How much bread do you buy? 6 How many classes does he take?

7 How much soup do you want?   8 How many boxes does it carry?   9 How much juice does she drink?   10 How many photos are there in the album?

실전 테스트

✎ 36~38쪽

1 ②   2 ⑤   3 ①   4 ③   5 ③   6 ②
7 ⑤   8 ①   9 How old   10 How often
11 How many   12 How much

1 cheese는 셀 수 없는 명사이므로 How much와 써야 한다.
• 너는 얼마나 많은 접시/사과/그림/꽃을 원하니?

2 B의 대답이 방문 횟수에 관한 것이므로, A는 얼마나 자주 박물관에 가는지 물었을 것이다.
• A: 너는 얼마나 자주 박물관에 가니?
B: 나는 토요일마다 박물관에 가.

3 '얼마나 ~한'이라는 의미의 '정도'를 나타낼 때는 형용사나 부사 앞에 How를 써서 표현하고, 개수를 물을 때는 How many를 써서 의문문을 만든다.

4 How 뒤에는 형용사나 부사가 와야 하므로 명사 book 앞에는 How를 쓸 수 없다.
① 그녀는 얼마나 예쁘니?
② 너는 얼마나 빨리 달리니?
④ 너는 얼마나 많은 소금을 사니?
⑤ 너는 얼마나 많은 친구가 있니?

5 letters는 복수명사이므로 How many를 써야 하고, bread는 셀 수 없는 명사이므로 How much를 써야 한다.
• 너는 얼마나 많은 편지를 쓰고 있니?
• 너의 어머니는 얼마나 많은 빵을 만드시니?

6 gloves, spoons, rooms, books는 복수명사이므로 many를 써야 한다. butter는 셀 수 없는 명사이므로 much를 써야 한다.
① 너는 얼마나 많은 장갑을 사니?
② 너는 얼마나 많은 버터를 원하니?
③ 우리는 얼마나 많은 숟가락이 필요하니?
④ 그녀는 얼마나 많은 방을 청소하니?

⑤ 그는 얼마나 많은 책을 가지고 있니?

7 rabbits는 복수명사이므로 ⑤의 much는 many로 써야 한다.
① 너의 아버지는 연세가 어떻게 되시니?
② 이 카메라는 얼마니?
③ 너는 얼마나 자주 TV를 보니?
④ 너는 얼마나 많은 풍선을 원하니?
⑤ 그녀는 얼마나 많은 토끼를 가지고 있니?

8 대화의 내용이 길이에 관해 묻고 답하는 것이므로 ①의 A는 How long is the stick?이라고 물어야 한다.
① A: 그 막대기는 얼마나 기니?
B: 그것은 길이가 10센티미터야.
② A: 너의 여동생은 몇 살이니?
B: 그녀는 여섯 살이야.
③ A: 이 가방은 얼마니?
B: 그것은 만원이야.
④ A: 너는 얼마나 많은 양초를 가지고 있니?
B: 나는 양초를 네 개 가지고 있어.
⑤ A: 그녀는 얼마나 많은 강아지를 가지고 있니?
B: 그녀는 강아지 두 마리를 가지고 있어.

9 '몇 살'인지 나이를 물어볼 때는 How old를 사용해서 의문문을 만든다.

10 '얼마나 자주'라는 '횟수'를 물을 때는 How often을 사용해서 의문문을 만든다.

11 복수명사 clocks가 쓰였으므로 '수'를 물을 때 사용하는 How many를 써서 의문문을 만든다.

12 셀 수 없는 명사 water가 쓰였으므로 '양'을 물을 때 사용하는 How much를 써서 의문문을 만든다.

Unit 3 조동사 (1)

Lesson 1 조동사 can

개념 확인

✎ 41쪽

Ⓐ 1 can play   2 can't wait
3 can hear   4 can't drive
5 can't eat   6 can carry

1 그는 기타를 연주할 수 있다. **2** 나는 너를 기다릴 수 없다. **3** 그들은 너의 목소리를 들을 수 있다. **4** 우리는 차를 운전할 수 없다. **5** Sally는 땅콩 버터를 먹을 수 없다. **6** Mike는 그 상자를 옮길 수 있다.

B
1 he can		**2** she can	
3 she can't		**4** you can	
5 he can't		**6** I can't	

1 A: Tom은 버스를 운전할 수 있니? B: 응, 할 수 있어. **2** A: 그녀는 중국어를 할 수 있니? B: 응, 할 수 있어. **3** A: Judy는 말을 탈 수 있니? B: 아니, 못 해. **4** A: 내가 너의 우산을 빌려도 되니? B: 응, 그래도 돼. **5** A: 그는 그 버튼을 누를 수 있니? B: 아니, 못 해. **6** A: 너는 그 질문에 대답할 수 있니? B: 아니, 못 해.

STEP 1 ✎ 42쪽

1 can't[cannot] fly **2** can't[cannot] find **3** can fix **4** can't[cannot] open **5** can teach **6** can watch **7** can't[cannot] eat **8** Can you help **9** Can I see **10** Can Jordan speak

STEP 2 ✎ 43쪽

1 Bill can play the flute. **2** I can't[cannot] play golf. **3** She can speak French. **4** Can Jane eat garlic? **5** Kate can't[cannot] open the door. **6** She can see the building. **7** Brian can't[cannot] use chopsticks. **8** Can I change my seat? **9** We can't [cannot] visit you tomorrow. **10** Can we take a trip together?

STEP 3 ✎ 44쪽

1 I can't[cannot] find the bank. **2** Can Jennifer run fast? **3** We can go to the party. **4** Can they clean the windows?

5 He can't[cannot] play the violin. **6** Can you finish your homework? **7** My sister can't[cannot] buy the ticket. **8** Can Tom write numbers in English? **9** You can't[cannot] remember the address. **10** Steve can watch the movie.

1 나는 그 은행을 찾을 수 있다. → 나는 그 은행을 찾을 수 없다. **2** Jennifer는 빨리 달릴 수 있다. → Jennifer는 빨리 달릴 수 있니? **3** 우리는 그 파티에 갈 수 없다. → 우리는 그 파티에 갈 수 있다. **4** 그들은 창문을 청소할 수 있다. → 그들은 창문을 청소할 수 있니? **5** 그는 바이올린을 연주할 수 있다. → 그는 바이올린을 연주할 수 없다. **6** 너는 너의 숙제를 끝낼 수 있다. → 너는 너의 숙제를 끝낼 수 있니? **7** 내 여동생은 그 표를 살 수 있다. → 내 여동생은 그 표를 살 수 없다. **8** Tom은 영어로 숫자를 쓸 수 있다. → Tom은 영어로 숫자를 쓸 수 있니? **9** 너는 그 주소를 기억할 수 있다. → 너는 그 주소를 기억할 수 없다. **10** Steve는 그 영화를 볼 수 없다. → Steve는 그 영화를 볼 수 있다.

STEP 4 ✎ 45쪽

1 Can he teach history? **2** We can't[cannot] see the sun. **3** My brother can swim. **4** Can you buy the shoes? **5** I can use the machine. **6** Can Jimmy play the cello? **7** He can't[cannot] find his passport. **8** They can solve this problem. **9** Can she make sandwiches? **10** They can't[cannot] play baseball now.

Lesson 2 can과 may

개념확인 ✎ 47쪽

A
1 may arrive		**2** May I sit	
3 may rain		**4** may like	
5 may use		**6** May I visit	
7 may not go			

1 그는 일찍 도착할지도 모른다.   2 제가 여기 앉아도 될까요?   3 오늘 비가 올지도 모른다.   4 그녀는 그 드레스를 좋아할지도 모른다.   5 너는 그 프린터를 사용해도 된다.   6 제가 당신의 집을 방문해도 되나요?   7 그들은 밤에 외출해서는 안 된다.

B

1 허락	2 허락
3 추측	4 허락
5 추측	6 허락
7 추측	

1 네 펜을 빌려도 되니?   2 너는 내 컴퓨터를 사용해도 된다.   3 그는 경찰관일지도 모른다.   4 너는 내 사무실에서 기다려도 된다.   5 Jennifer는 부자가 아닐지도 모른다.   6 제가 여기 주차해도 되나요?   7 그녀는 화가 나지 않았을지도 모른다.

STEP 1 ✎ 48쪽

1 may rain   2 may not enter   3 may win   4 may not be   5 may stay   6 may not drive   7 may wear   8 May / sit   9 May / ask   10 May / open

STEP 2 ✎ 49쪽

1 Judy may sing well.   2 You may not enter the room.   3 May I go to the bathroom?   4 You may go home early today.   5 Bill may not come to the party.   6 May I take the history class?   7 They may not visit us tomorrow.   8 She may be late for the meeting.   9 They may not take pictures in the library.   10 Students may bring their lunch from home.

1 Judy는 노래를 잘 할지도 모른다.   2 너는 그 방에 들어가면 안 된다.   3 제가 화장실에 가도 되나요?   4 너는 오늘 집에 일찍 가도 된다.   5 Bill은 파티에 오지 않을지도 모른다.   6 제가 역사 수업을 들어도 되나요?   7 그들은 내일 우리를 방문하지 않을지도 모른다.   8 그녀는 그 회의에 늦을지도 모른다.   9 그들은 도서관에서 사진을 찍어서는 안 된다.   10 학생들은 집에서 점심을 가져와도 된다.

STEP 3 ✎ 50쪽

1 You may not watch the movie.   2 May I get up late?   3 Lucy may remember his name.   4 Jeremy may not arrive in time.   5 May I borrow your watch?   6 It may snow in London.   7 She may eat snacks after dinner.   8 They may not run in the street.   9 They may not be playing games now.   10 You may bring your dog into the room.

1 너는 그 영화를 봐도 된다. → 너는 그 영화를 봐서는 안 된다.   2 나는 늦게 일어나도 된다. → 내가 늦게 일어나도 되니?   3 Lucy는 그의 이름을 기억하지 못할지도 모른다. → Lucy는 그의 이름을 기억할지도 모른다.   4 Jeremy는 제 시간에 도착할지도 모른다. → Jeremy는 제 시간에 도착하지 않을지도 모른다.   5 나는 너의 시계를 빌려도 된다. → 내가 너의 시계를 빌려도 되니?   6 런던에 눈이 오지 않을지도 모른다. → 런던에 눈이 올지도 모른다.   7 그녀는 저녁 식사 후에 간식을 먹어서는 안 된다. → 그녀는 저녁 식사 후에 간식을 먹어도 된다.   8 너는 길에서 뛰어도 된다. → 너는 길에서 뛰면 안 된다.   9 그들은 지금 게임을 하고 있을지도 모른다. → 그들은 지금 게임을 안 하고 있을지도 모른다.   10 너는 방 안에 개를 데려와서는 안 된다. → 너는 방 안에 개를 데려와도 된다.

STEP 4 ✎ 51쪽

1 May I help you?   2 He may be Molly's father.   3 The test may not be easy.   4 You may go home now.   5 The babies may be sleeping.   6 You may go to the festival.   7 May I ride his bicycle?   8 You may not use a pen.   9 They may not eat seafood.   10 You may not touch the paintings.

1 ① **2** ④ **3** ④ **4** ③ **5** ③ **6** ①

7 ④ **8** ③ **9** Mason cannot [can't] ride

10 You can[may] play

11 Can[May] I stay

12 He may need

1 「Can + 주어 + 동사원형 ~?」의 순서로 써야 하므로 빈칸에는 speak가 알맞다.
- Wilson 씨는 영어를 잘 말할 수 있니?

2 미래를 나타내는 tomorrow와 함께 쓰여서 '~할지도 모른다'라는 내용이 되어야 하므로 추측을 나타내는 조동사 may를 써야 한다. 조동사 may 뒤에는 주어의 인칭과 수에 상관없이 동사원형이 와야 하므로 may rain이 적절하다.
- 내일 비가 올지도 모른다.

3 May를 사용하여 '~해도 될까요?'라고 묻고 있으므로 may를 사용하여 대답해야 한다. 대답을 Yes로 시작했으므로 긍정의 대답이 이어져야 하고 의문문의 주어가 I이므로 대답할 때는 you로 써야 한다.
- A: 당신의 여권을 봐도 될까요?
  B: 네, 그러세요.

4 can 뒤에는 동사원형이 와야 하는데 ③은 주어 뒤에 -ing 형태가 쓰였으므로 can이 들어갈 수 없다. '지금'이라는 뜻의 now가 있으므로 be동사 Is를 넣어서 현재진행형 의문문이 되어야 자연스럽다.
① 내가 창문을 열어도 되니?
② Paul은 운전을 할 수 있니?
③ 그는 지금 기타를 연주하고 있니?
④ 그녀는 컴퓨터를 고칠 수 있니?
⑤ 너는 내일 나를 도와줄 수 있니?

5 may not은 줄여 쓰지 않으므로 mayn't는 may not으로 써야 한다.
① 그는 배드민턴을 칠 수 있니?
② 너는 이 책을 가져갈 수 없다.
③ 그녀는 돌아오지 않을지도 모른다.
④ 우리는 이 노래를 부를 수 있다.
⑤ 제가 당신의 카메라를 써도 되나요?

6 조동사 뒤에는 주어의 인칭과 수에 상관없이 동사원형을 써야 하므로 comes를 come으로 고쳐야 한다.
① 그녀는 오늘 올 수 없다.
② 너는 밤에 TV를 볼 수 있니?
③ 너는 그 파티에 가도 된다.
④ 제가 그 방에 들어가도 되나요?
⑤ 너는 여기서 사진을 찍어서는 안 된다.

7 May가 의문문에서 허락을 구하는 의미로 쓰였을 때 Can으로 바꿔 쓸 수 있다.
- 네 자전거를 빌려도 되니?

8 '~해도 되나요?'라고 허락을 구하는 질문에 No라고 답했으므로 부정의 말이 이어져야 한다. 따라서 you can은 you can't로 써야 한다.
① A: 너는 플루트를 연주할 수 있니?
  B: 응, 할 수 있어.
② A: Tom은 햄버거를 만들 수 있니?
  B: 아니, 못 해.
③ A: 도서관에서 물을 마셔도 되나요?
  B: 아니요, 돼요.
④ A: 제가 내일 당신을 방문해도 되나요?
  B: 네, 돼요.
⑤ A: 여기에 제 가방을 두어도 되나요?
  B: 아니요, 안 돼요.

9 능력을 나타내는 조동사 can을 써야 하고, '~할 수 없다'라는 부정의 의미이므로 cannot[can't] ride라고 쓰는 것이 적절하다. 주어의 인칭과 수에 상관없이 조동사 뒤에는 항상 동사원형을 쓴다.

10 조동사 can과 may 모두 허락을 나타내는 의미로 쓰일 수 있다.

11 허락을 구하는 의문문이므로 Can과 May 모두 쓸 수 있다. 조동사의 의문문은 「조동사 + 주어 + 동사원형」의 순서로 쓴다.

12 '~일지도 모른다'는 추측을 나타내는 조동사 may를 써야 한다. 조동사 뒤에는 반드시 동사원형이 온다.

Unit 4 조동사 (2)

Lesson 1 조동사 must

개념확인
✎ 57쪽

A
1 must work
2 must not
3 must help
4 must not
5 must write
6 must not go
7 must clean

해석 **1** 그녀는 열심히 일해야 한다. **2** 그들은 뛰어서는 안 된다. **3** 그는 Pennie를 도와야 한다. **4** 너는 규칙을 어겨서는 안 된다. **5** 우리는 이름을 적어야 한다. **6** Steve는 거기 가서는 안 된다. **7** Pete와 Sam은 방을 청소해야 한다.

B
1 has to go
2 have to take
3 doesn't have to
4 have to wear
5 has to walk
6 don't have to
7 don't have to

해석 **1** 그녀는 시장에 가야 한다. **2** 우리는 그 수업을 들어야 한다. **3** Ben은 공부할 필요가 없다. **4** 그들은 장갑을 착용해야 한다. **5** Marisa는 학교에 걸어가야 한다. **6** 너는 그 전화를 받을 필요가 없다. **7** Jen과 Olivia는 요리할 필요가 없다.

STEP 1
✎ 58쪽

1 must[have to] go   2 must not open
3 don't have to buy   4 must not be
5 doesn't have to do   6 must[have to] find   7 don't have to wear   8 must[has to] drink   9 must not use   10 don't have to take

STEP 2
✎ 59쪽

1 You must not swim here.   2 I don't have to wear sunglasses.   3 They have to read these books.   4 We must not make a noise.   5 She doesn't have to buy a basket.   6 We must not cross the street at a red light.   7 She has to meet her friends.   8 Junsu doesn't have to see a doctor.   9 You must remember the password.   10 William and Noah don't have to buy a car.

해석 **1** 너는 여기서 수영을 해서는 안 된다. **2** 나는 선글라스를 쓸 필요가 없다. **3** 그들은 이 책들을 읽어야 한다. **4** 우리는 떠들어서는 안 된다. **5** 그녀는 바구니를 살 필요가 없다. **6** 우리는 빨간 불에 길을 건너서는 안 된다. **7** 그녀는 그녀의 친구들을 만나야 한다. **8** 준수는 진찰을 받을 필요가 없다. **9** 너는 비밀번호를 기억해야 한다. **10** William과 Noah는 차를 살 필요가 없다.

STEP 3
✎ 60쪽

1 You must eat apples.   2 I don't have to use this computer.   3 She must sing many songs.   4 Sophia doesn't have to take a taxi.   5 Alex must send a letter to her parents.   6 We have to finish our math homework.   7 He must not drink soda.   8 Peter has to take this medicine.   9 They must not swim in the lake.   10 My parents don't have to buy a huge house.

해석 **1** 너는 사과를 먹는다. → 너는 사과를 먹어야 한다. **2** 나는 이 컴퓨터를 사용하지 않는다. → 나는 이 컴퓨터를 사용할 필요가 없다. **3** 그녀는 많은 노래를 부른다. → 그녀는 많은 노래를 불러야 한다. **4** Sophia는 택시를 타지 않는다. → Sophia는 택시를 탈 필요가 없다. **5** Alex는 부모님에게 편지를 보낸다. → Alex는 부모님에게 편지를 보내야 한다. **6** 우리는 수학 숙제를 끝낸다. → 우리는 수학 숙제를 끝내야 한다. **7** 그는 탄산음료를 마시지 않는다. → 그는 탄산음료를 마셔서는 안 된다. **8** Peter는 이 약을 먹는다. → Peter는 이 약을 먹어야 한다. **9** 그들은 호수에서 수영하지 않는다. → 그들은 호수에서 수영해서는 안 된다. **10** 나의 부모님은 거대한 집을 사지 않는다. → 나의 부모님은 거대한 집을 살 필요가 없다.

1 You must[have to] speak in English.
2 You don't have to wear a tie. 3 He must not drive at night. 4 Kate must[has to] come early. 5 They don't have to drink milk. 6 You must not waste water. 7 She doesn't have to borrow money. 8 John must[has to] meet his teacher. 9 We must[have to] eat vegetables. 10 We must not pick the flowers.

Lesson 2 must와 should

개념확인 ✎ 63쪽

Ⓐ 1 should go
2 Should I
3 should not buy
4 go
5 should clean
6 should not miss
7 exercise

해석 1 그녀는 우체국에 가야 한다. 2 내가 그의 이름을 기억해야 하니? 3 그는 그 오토바이를 사지 않는 게 좋겠다. 4 Amy가 지금 자야 하니? 5 우리는 방을 청소해야 한다. 6 너는 수업에 빠지지 않는 게 좋겠다. 7 Yuna는 매일 운동하는 게 좋을까?

Ⓑ 1 ○   2 ○
3 ×   4 ○
5 ○   6 ×
7 ×

해석 1 William은 지금 떠나야 한다. 2 그녀는 그 강아지에게 먹이를 줘야 하니? 3 그들은 영어책을 읽는 중이다. 4 너는 그녀를 돌봐야 한다. 5 우리는 돌을 던져서는 안 된다. 6 그는 일요일에 Audrey를 방문한다. 7 그녀는 설거지를 하고 있지 않다.

1 should not open   2 should answer
3 should not close   4 should wear
5 should not go   6 should buy   7 should wash   8 Should Angela take   9 Should I buy   10 Should he wear

1 Should we take the class?   2 They should not[shouldn't] go to bed late. 3 Should we call the police?   4 Sam should find a new job.   5 David should drink some milk.   6 She shouldn't read his diary.   7 Joe should pass the test. 8 Mina should not go to the concert. 9 Should I stay home with the kids? 10 They should be in the classroom now.

해석 1 우리는 그 수업을 들어야 하니? 2 그들은 늦게 자지 않는 게 좋겠다. 3 우리는 경찰을 불러야 하니? 4 Sam은 새 직업을 찾아야 한다. 5 David는 우유를 좀 마시는게 좋겠다. 6 그녀는 그의 일기를 읽어서는 안 된다. 7 Joe는 그 시험에 통과해야 한다. 8 Mina는 콘서트에 가지 않는 게 좋겠다. 9 내가 아이들과 집에 머무르는 게 좋을까? 10 그들은 지금 교실 안에 있어야 한다.

1 You should not[shouldn't] close your eyes. 2 Should Rory wear a coat? 3 You should enter this room. 4 She should not[shouldn't] help Tony. 5 Should they play tennis together? 6 Should we buy some grape juice? 7 My brother should not[shouldn't] swim in the river. 8 Should he be careful? 9 Linda should watch this movie. 10 We should not[shouldn't] finish the work late at night.

1 너는 눈을 감아야 한다. → 너는 눈을 감아서는 안 된다. **2** Rory는 코트를 입어야 한다. → Rory는 코트를 입어야 하니? **3** 너는 이 방에 들어가서는 안 된다. → 너는 이 방에 들어가야 한다. **4** 그녀는 Tony를 도와주어야 한다. → 그녀는 Tony를 도와줘서는 안 된다. **5** 그들은 함께 테니스를 쳐야 한다. → 그들은 함께 테니스를 쳐야 하니? **6** 우리는 포도 주스를 좀 사야 한다. → 우리는 포도 주스를 좀 사야 하니? **7** 내 남동생은 강에서 수영해야 한다. → 내 남동생은 강에서 수영해서는 안 된다. **8** 그는 조심해야 한다. → 그는 조심해야 하니? **9** Linda는 이 영화를 봐서는 안 된다. → Linda는 이 영화를 봐야 한다. **10** 우리는 그 일을 밤늦게 끝내야 한다. → 우리는 그 일을 밤늦게 끝내서는 안 된다.

STEP 4

✎ 67쪽

1 Should we order now? **2** We should not[shouldn't] break the vase. **3** Should he cut his hair? **4** You should not[shouldn't] touch the dog. **5** She should make a snowman. **6** They should not[shouldn't] buy the car. **7** Amelie should go to the hospital. **8** Should I hide the present? **9** They should bring textbooks. **10** He should not[shouldn't] read her letter.

실전 테스트

✎ 68~70쪽

1 ① **2** ③ **3** ② **4** ④ **5** ④ **6** ⑤

7 ④ **8** ② **9** must not swim

10 doesn't have to wear

11 shouldn't bring

12 Should I take

1 '~해야 한다'라는 의미의 조동사 must 다음에는 동사원형을 써야 한다.
  • Peter는 수학을 공부해야 한다.

2 주어 Mary는 3인칭 단수이므로 have to는 쓸 수 없다.
  • Mary는 레몬을 좀 사야 한다/사면 안 된다/살 필요가 없다.

3 '~해야 한다'의 뜻인 have to는 주어가 3인칭 단수일 때

는 has to로 써야 하고, 그 이외의 주어인 경우에는 have to로 쓴다. 조동사 must는 주어의 인칭과 수에 상관없이 항상 must로 쓴다.
  • Tom은 그녀의 이름을 기억해야 한다.
  • 우리는 간식을 좀 사야 한다.

4 must 다음에는 항상 동사원형을 쓰므로 ④의 must not plays는 must not play로 써야 한다.
  ① 그녀는 선물을 사야 한다.
  ② 너는 나를 도와줄 필요가 없다.
  ③ 우리는 그 산에 올라가야 한다.
  ④ 그녀는 피아노를 쳐서는 안 된다.
  ⑤ Tom은 그의 차를 수리할 필요가 없다.

5 should의 의문문은 「should + 주어 + 동사원형 ~?」으로 써야 한다.
  • 그들은 그 질문에 대답해야 한다.

6 주어가 3인칭 단수(She)이므로 has to를 부정문으로 바꿔 쓸 때는 「doesn't have to + 동사원형」으로 써야 한다.
  • 그녀는 장화를 신어야 한다.

7 주어가 3인칭 단수(He)이므로 doesn't have to는 올바르게 쓰였다. ① don't must → must not ② chooses → choose ③ has → have ⑤ to find → find
  ① 너는 이 음식을 먹어서는 안 된다.
  ② 그 소녀는 노래를 선택해야 한다.
  ③ 우리는 창문들을 닫아야 한다.
  ④ 그는 설거지를 할 필요가 없다.
  ⑤ 우리는 다른 식당을 찾아야 하니?

8 Jane은 3인칭 단수이므로 doesn't를 쓴 것은 옳지만, doesn't 뒤에는 동사원형이 와야 하므로 has를 have로 고쳐야 한다.
  ① 나는 사진을 찍어야 하니?
  ② Jane은 요리를 할 필요가 없다.
  ③ 우리는 David를 초대해야 하니?
  ④ 너는 이 물을 마셔서는 안 된다.
  ⑤ Samuel은 그 편지를 보내야 한다.

9 '~해서는 안 된다'는 뜻은 must의 부정문을 사용하여 나타낼 수 있다. must의 부정문은 「주어 + must not + 동사원형」 순서로 쓴다.

10 '~할 필요가 없다'라는 뜻은 주어가 3인칭 단수일 때 「doesn't have to + 동사원형」으로 쓴다.

11 should를 사용해서 '~해서는 안 된다'는 금지를 나타

낼 때 「주어 + should not[shouldn't] + 동사원형」 순서로 쓴다. 빈칸이 2개이므로 should not의 줄임말인 shouldn't를 써야 한다.

12 should의 의문문은 「Should + 주어 + 동사원형 ~?」 순서로 써서 '~하는 게 좋을까?'라는 뜻을 나타낸다.

5 명령문

Lesson 1 긍정명령문과 부정명령문

개념 확인 ✎ 73쪽

A
1 go	**2** Be
3 Don't	**4** Look
5 Don't	**6** Open
7 cry	

해석 **1** 가지 마라. **2** 조심해라. **3** 뛰지 마라. **4** 저를 보세요. **5** 네 가방을 가져오지 마라. **6** 그 문을 열어라. **7** 울지 마라.

B
1 긍정	**2** 부정
3 긍정	**4** 긍정
5 부정	**6** 부정
7 긍정	

해석 **1** 일어서라. **2** 부끄러워하지 마라. **3** 내일 나에게 전화해라. **4** 천천히 드세요. **5** 그 꽃을 만지지 마라. **6** 절대 그의 이름을 잊지 마라. **7** 너의 친구들에게 친절해라.

STEP 1 ✎ 74쪽

1 Take **2** Don't be **3** Wear **4** Never touch **5** do **6** Don't lose **7** Sing **8** Don't ride **9** Be **10** Never draw

STEP 2 ✎ 75쪽

1 Push the bell. **2** Don't take the train. **3** Don't buy that cap. **4** Finish your homework. **5** Please choose the color. **6** Don't drink the orange juice. **7** Be quiet in the classroom. **8** Don't forget my name, please. **9** Never catch the bird. **10** Don't hate your sister.

STEP 3 ✎ 76쪽

1 Don't throw the ball. **2** Get up early. **3** Don't jump on the sofa. **4** Visit your uncle. **5** Don't open the drawer. **6** Fix this camera. **7** Don't draw a picture. **8** Drink a cup of water. **9** Don't play the computer game. **10** Help your grandmother.

해석 **1** 너는 공을 던진다. → 공을 던지지 마라. **2** 너는 일찍 일어난다. → 일찍 일어나라. **3** 너는 소파 위에 뛴다. → 소파 위에서 뛰지 마라. **4** 너는 너의 삼촌을 방문한다. → 너의 삼촌을 방문해라. **5** 너는 서랍을 연다. → 서랍을 열지 마라. **6** 너는 이 카메라를 고친다. → 이 카메라를 고쳐라. **7** 너는 그림을 그린다. → 그림을 그리지 마라. **8** 너는 한 잔의 물을 마신다. → 한 잔의 물을 마셔라. **9** 너는 컴퓨터 게임을 한다. → 컴퓨터 게임을 하지 마라. **10** 너는 너의 할머니를 도와 드린다. → 너의 할머니를 도와 드려라.

STEP 4 ✎ 77쪽

1 Don't read this book. **2** Wash your hands. **3** Never tell a lie. **4** Take that bus. **5** Don't be afraid. **6** Hold this rope. **7** Play the cello. **8** Invite us, please. / Please invite us. **9** Don't buy those fruits. **10** Never push the button.

Lesson 2 Let's + 동사원형

개념확인
✎ 79쪽

A
1 walk   2 buy
3 play   4 clean
5 watch   6 run
7 sing

해석 1 함께 걷자. 2 빵을 좀 사자. 3 축구를 하지 말자. 4 우리 교실을 청소하자. 5 그 영화를 보자. 6 집 안에서 뛰지 말자. 7 함께 노래 부르자.

B
1 Let's go   2 Let's not
3 Let's make   4 Let's not
5 Let's play   6 Let's not
7 Let's not eat

해석 1 이제 집에 가자. 2 울지 말자. 3 쿠키를 만들자. 4 멈추지 말자. 5 야구를 하자. 6 그 방에 들어가지 말자. 7 오늘 외식하지 말자.

STEP 1
✎ 80쪽

1 Let's go   2 Let's not swim   3 Let's wear 4 Let's not sing   5 Let's meet   6 Let's not open   7 Let's make   8 Let's not read 9 Let's cook   10 Let's not take

STEP 2
✎ 81쪽

1 Let's eat this bread.   2 Let's not play this game.   3 Let's make cookies. 4 Let's not speak loudly.   5 Let's jump together.   6 Let's not go to that building. 7 Let's buy some bananas.   8 Let's not read these books.   9 Let's continue our work.   10 Let's not eat shrimp spaghetti.

해석 1 이 빵을 먹자. 2 이 게임을 하지 말자. 3 쿠키를 만들자. 4 큰 소리로 말하지 말자. 5 함께 뛰자. 6 저 건물에 가지 말자. 7 바나나를 좀 사자. 8 이 책들을 읽지 말자. 9 우리의 일을 계속하자. 10 새우 스파게티를 먹지 말자.

STEP 3
✎ 82쪽

1 Let's make dinner.   2 Let's not watch TV.   3 Let's cook together.   4 Let's not eat a lemon.   5 Let's read a comic book. 6 Let's not sing together.   7 Let's not write a letter.   8 Let's play with matches. 9 Let's not play the piano together. 10 Let's go to the shopping mall.

해석 1 저녁 식사를 만들지 말자. → 저녁 식사를 만들자. 2 TV를 보자. → TV를 보지 말자. 3 함께 요리를 하지 말자. → 함께 요리를 하자. 4 레몬을 먹자. → 레몬을 먹지 말자. 5 만화책을 읽지 말자. → 만화책을 읽자. 6 함께 노래를 부르자. → 함께 노래를 부르지 말자. 7 편지를 쓰자. → 편지를 쓰지 말자. 8 성냥을 가지고 놀지 말자. → 성냥을 가지고 놀자. 9 함께 피아노를 연주하자. → 함께 피아노를 연주하지 말자. 10 쇼핑몰에 가지 말자. → 쇼핑몰에 가자.

STEP 4
✎ 83쪽

1 Let's climb this tree.   2 Let's go to the library.   3 Let's not play basketball. 4 Let's fix my robot together.   5 Let's play the flute.   6 Let's not take the subway.   7 Let's not use his computer. 8 Let's help that boy together.   9 Let's not buy these toothbrushes.   10 Let's not drink hot coffee.

🖊️ 84~86쪽

1 ② **2** ① **3** ③ **4** ③ **5** ① **6** ③

7 ④ **8** ④ **9** Look

10 Let's not play   **11** Let's read

12 Never bring

1 '~하지 말자'라는 뜻은 「Let's not + 동사원형」으로 나타낸다.
• 동물원에 가지 말자.

2 '~하자'라고 제안할 때는 Let's 다음에 동사원형을 써서 나타내며, '절대 ~하지 마라'라는 의미의 부정명령문은 Never 다음에 동사원형을 써서 표현한다.
• 그 책을 사자.
• 그 차를 절대 사지 마라.

3 부정명령문은 「Don't + 동사원형」의 형태이므로 ③의 reads를 read로 써야 한다.
① 물을 좀 마셔라.
② 이 노래를 부르자.
③ 그 편지를 읽지 마라.
④ 함께 케이크를 굽자.
⑤ 절대로 너의 만화책을 가져오지 마라.

4 Don't와 Let's 다음에는 동사원형을 써야 하고, 주어가 생략되어 있는 명령문은 동사원형으로 시작해야 한다. ③은 동사원형 read가 올바르게 쓰였다. ①은 Come, ②는 call, ④는 drink, ⑤는 fight로 써야 한다.
① 일찍 와라.
② Mike를 부르자.
③ 이 책을 읽자.
④ 그 사과 주스를 마시지 마라.
⑤ 너의 사촌과 싸우지 마라.

5 '~하지 말 것'을 권유하는 표현인 Let's not 다음에는 동사원형을 써야 한다. 상대방에게 어떤 행동을 하라고 지시할 때는 동사원형으로 문장을 시작하며, 문장의 앞이나 뒤에 please를 붙이면 '~해 주세요'라는 공손한 부탁의 표현이 된다.
• 떠들지 말자.
• 문 좀 열어 주세요.

6 ①, ⑤는 긍정명령문이다. 긍정명령문은 동사원형으로 시작하므로 Be를 써야 한다. ②, ④는 「Don't + 동사원형」의 부정명령문으로, be를 써야 한다. ③은 평서문이므로 주어 She에 알맞은 동사 is를 써야 한다.

① 조심해라.
② 늦지 마라.
③ 그녀는 아름답다.
④ 부끄러워하지 마라.
⑤ 너의 부모님께 예의 바르게 대해라.

7 Let's 다음에는 동사원형을 써야 하므로 ④에는 Let's를 쓸 수 없고, He 또는 She 등의 3인칭 단수 주어를 써야 한다. Let's를 쓰려면 meets를 meet로 써야 한다.
① 수영하자.
② 과일을 먹자.
③ 함께 달리자.
⑤ 방과 후에 축구를 하자.

8 다른 사람에게 어떤 것을 하자고 제안할 때는 「Let's + 동사원형」을 쓰며, '함께'라는 의미를 덧붙이려면 문장 끝에 together를 쓰면 된다.

9 '~해라'라는 뜻의 긍정명령문은 주어 you를 생략하고 동사원형으로 문장을 시작한다.

10 '~하지 말자'라는 뜻은 「Let's not + 동사원형」으로 나타낸다.

11 '~하자'라는 표현은 「Let's + 동사원형」으로 쓰며 문장 끝에 together를 쓰면 '함께'라는 의미를 나타낸다.

12 부정명령문에서 '절대 ~하지 마라'의 뜻은 Don't 대신 Never를 써서 나타낸다.

Unit 6 전치사

📎 89쪽

Lesson 1 장소/방향의 전치사

개념 확인

A
1 in
2 at
3 into
4 next to
5 across
6 on

> **해석** 1 그녀는 한국에 산다. 2 그는 역에서 기다리고 있다. 3 그들은 건물 안으로 들어가고 있다. 4 내가 너의 옆에 앉아도 될까? 5 우체통은 길 건너편에 있다. 6 그 숟가락은 접시 위에 있다.

B
1 on
2 under
3 next to
4 behind
5 down
6 out of

> **해석** 1 그 책이 탁자 위에 있다. 2 공 하나가 소파 아래에 있다. 3 램프는 침대 옆에 있다. 4 그 빵집은 은행 뒤에 있다. 5 그녀가 계단 아래로 내려가고 있다. 6 돌고래가 물 밖으로 점프한다.

STEP 1

📎 90쪽

1 in 2 across 3 in front of 4 down
5 on 6 under 7 up 8 behind 9 into
10 between

STEP 2

📎 91쪽

1 A truck is in front of my house. 2 They are in New York. 3 The boxes are under the bed. 4 She is standing next to him. 5 I put the books on the table. 6 The train comes out of the tunnel. 7 The child is hiding behind the door. 8 The cat comes down the tree. 9 He is jumping into the pool. 10 Let's swim across the river.

STEP 3

📎 92쪽

1 The birds are on the roof. 2 People are coming out of the building. 3 His car is behind the library. 4 Many gifts are under the Christmas tree. 5 A bike is next to the bench. 6 The firefighters go into the house. 7 My parents are talking in the living room. 8 A monkey is climbing up the tree.

STEP 4

📎 93쪽

1 Don't stand behind me. 2 His puppies are next to him. 3 Let's meet in front of the museum. 4 The book is on the shelf. 5 Your gloves are in the drawer. 6 He is walking across the street. 7 They are waiting at the bus stop. 8 I put my shoes under the bed. 9 She is running down the stairs. 10 The key is between the book and the clock.

Lesson 2 시간과 그 외 전치사

개념 확인

📎 95쪽

A
1 by
2 on
3 for
4 with
5 in
6 at

> **해석** 1 나는 기차를 타고 거기에 간다. 2 월요일에 만나자. 3 이 케이크는 나의 부모님을 위한 것이다. 4 나는 나의 친구들과 함께 영화를 본다. 5 나는 여름에 수영하는 것을 좋아한다. 6 그 콘서트는 5시 정각에 시작한다.

B 1 to 2 from
3 by 4 with
5 for 6 about

해석 1 그녀는 Amy에게 엽서를 한 장 보낸다. 2 Pablo와 Manuel은 스페인 출신이다. 3 나의 아버지는 자전거를 타고 출근하신다. 4 나는 내 친구와 함께 박물관에 간다. 5 우리는 Peter를 위해 꽃을 좀 산다. 6 그들은 우주에 대한 영화를 본다.

STEP 1 ✎ 96쪽

1 about 2 after 3 at 4 with 5 by
6 before 7 in 8 for 9 from 10 on

STEP 2 ✎ 97쪽

1 Elsa sends a package to them. 2 They watch TV in the evening. 3 Ted goes to bed at 9 p.m. 4 We play the piano after school. 5 He goes to school by subway.
6 This present is for Anna. 7 I go to the park on Mondays. 8 I exercise before breakfast. 9 She writes a letter with a pen. 10 We learn about sea animals.

STEP 3 ✎ 98쪽

1 We talk about the movie. 2 I go jogging in the morning. 3 Let's not meet on Sunday. 4 I hear the news from them.
5 You do your homework with a pencil.
6 We can see butterflies in spring. 7 He reads a book before dinner. 8 The train runs from Seoul to Busan.

STEP 4 ✎ 99쪽

1 Let's meet on June 8th. 2 This song is about love. 3 They go there by bus. 4 I don't[do not] watch TV at night. 5 Hailey can count from one to ten. 6 She drinks tea in the morning. 7 I exercise before breakfast. 8 She lives with her parents. 9 We play soccer on Saturdays.
10 Joshua bakes bread for his son.

실전 테스트 ✎ 100~102쪽

1 ④ 2 ① 3 ② 4 ① 5 ③ 6 ④
7 ① 8 ① 9 about war
10 behind the fire station
11 before breakfast 12 with my camera

1 날짜 앞에는 전치사 on을 쓰므로 ④는 on March 1st로 써야 한다.

2 '~옆에'라는 뜻의 전치사는 next to이므로 ①은 next to me로 써야 한다.

3 요일 앞에는 전치사 on을 쓰고, '(표면) ~위에'라고 할 때도 전치사 on을 쓴다.
• 금요일에 만나자.
• 상자는 탁자 위에 있다.

4 '~에'라는 뜻으로 비교적 넓은 장소를 나타낼 때 전치사 in을 쓰고, 계절 앞에도 전치사 in을 쓴다.
• 나의 이모는 런던에 산다.
• 나는 겨울에 스키를 타러 간다.

5 '~에 관해'라는 뜻의 전치사는 about이고, '~에'라는 뜻으로 장소를 나타내는 전치사는 in이다.

6 요일 앞에는 전치사 on을 쓰고「on + 요일 + s」는 '~요일마다'라는 의미이다. '~ 옆에'라는 의미의 전치사는 next to이다.

7 전치사 뒤에 대명사가 올 경우 '목적격'으로 써야 하므로 ①의 with he는 with him으로 써야 한다.
① 나는 그와 함께 TV를 본다.

② 바닥에 가방을 놓아라.

③ 그들은 점심 식사 후에 축구를 한다.

④ 그녀는 버스를 타고 박물관에 간다.

⑤ 그는 연필로 그림을 그리고 있다.

8 '~에서 왔다, ~출신이다'라는 의미를 나타낼 때는 전치사 from을 쓰므로 ①의 comes by는 comes from으로 써야 한다.

① 그녀는 프랑스 출신이다.

② 침대는 책상 옆에 있다.

③ 우리는 도서관 앞에 있다.

④ 나는 종종 공원에서 자전거를 탄다.

⑤ 나는 월요일에 바이올린 수업이 있다.

9 '~에 대해'라는 의미를 나타내는 전치사는 about이다.

10 '~ 뒤에'라는 의미를 나타내는 전치사는 behind이다.

11 '~ 전에'라는 의미를 나타내는 전치사는 before이다. 식사 이름 앞에는 관사를 쓰지 않는다.

12 '~로(도구)'라는 의미를 나타내는 전치사는 with이다. '나의'라는 뜻을 나타내기 위해 명사(camera) 앞에 소유격 인칭대명사 my를 쓴다.

Unit 7 There is/are

Lesson 1 There is/are의 의미와 쓰임

개념 확인 ✎ 105쪽

Ⓐ
1 are	**2** is
3 is	**4** are
5 are	**6** is
7 are	

해석 **1** 탁자 위에 가방 두 개가 있다. **2** 상자 안에 공 하나가 있다. **3** 주전자 안에 물이 조금 있다. **4** 책상 위에 펜 네 자루가 있다. **5** 벽에 그림 몇 개가 있다. **6** 그릇 안에 수프가 조금 있다. **7** 바구니 안에 바나나가 몇 개 있다.

- -

Ⓑ
1 some butter	**2** many photos
3 some books	**4** a little oil
5 many socks	**6** some flour
7 three apples	

해석 **1** 접시 위에 버터가 조금 있다. **2** 앨범에 많은 사진들이 있다. **3** 책상 위에 책이 몇 권 있다. **4** 병 속에 기름이 조금 있다. **5** 의자 위에 많은 양말이 있다. **6** 그릇 안에 밀가루가 조금 있다. **7** 바구니 안에 사과 세 개가 있다.

STEP 1 ✎ 106쪽

1 is / bat **2** are / cars **3** is / juice **4** are / watches **5** is / wallet **6** are / coats **7** is / flour **8** are / cushions **9** is / pencil case **10** are / sheep

STEP 2 ✎ 107쪽

1 There is some milk in the bottle.

2 There are some leaves on the ground.

3 There is a little butter on the table.

4 There are a few pictures on the

wall. 5 There are six children in the room. 6 There are many dolphins in the sea. 7 There are lots of balloons in the sky. 8 There is a spider on the ceiling. 9 There are a few books in my bag. 10 There is a lot of sand on the beach.

해석 1 병에 우유가 조금 있다. 2 땅에 나뭇잎들이 조금 있다. 3 탁자 위에 약간의 버터가 있다. 4 벽에 그림 몇 개가 있다. 5 방 안에 아이들 여섯 명이 있다. 6 바다에 많은 돌고래들이 있다. 7 하늘에 많은 풍선들이 있다. 8 천장에 거미 한 마리가 있다. 9 내 가방 안에 책이 몇 권 있다. 10 해변에 많은 모래가 있다.

4 There are five toothbrushes on the shelf. 5 There is a theater in front of my house. 6 There are a few coins in my pocket. 7 There is a lot of honey in the jar. 8 There is some bread on the plate. 9 There are a few nurses in the hospital. 10 There are many museums in the city.

STEP 3 ✎108쪽

1 There are many deer in the zoo. 2 There is some grass in the garden. 3 There are a few seeds in the jar. 4 There is a little money in the pocket. 5 There is a camera in the box. 6 There are four eggs in the bowl. 7 There is a frog in the pond. 8 There are many shoes under the desk. 9 There is lots of snow on the road. 10 There are a few towels on the floor.

해석 1 동물원에 곰 한 마리가 있다. → 동물원에 많은 사슴들이 있다. 2 정원에 나무 두 그루가 있다. → 정원에 잔디가 조금 있다. 3 병에 약간의 소금이 있다. → 병에 씨앗 몇 개가 있다. 4 주머니에 열쇠가 몇 개 있다. → 주머니에 돈이 약간 있다. 5 상자 안에 많은 앨범들이 있다. → 상자 안에 카메라 하나가 있다. 6 그릇 안에 약간의 쌀[밥]이 있다. → 그릇 안에 4개의 달걀이 있다. 7 연못에 오리 다섯 마리가 있다. → 연못에 개구리 한 마리가 있다. 8 책상 밑에 자가 한 개 있다. → 책상 밑에 많은 신발이 있다. 9 도로 위에 많은 트럭들이 있다. → 도로 위에 많은 눈이 있다. 10 바닥에 물이 약간 있다. → 바닥에 수건이 몇 개 있다.

STEP 4 ✎109쪽

1 There is a post office near the library. 2 There are two mirrors in my room. 3 There is some money in his wallet.

Lesson 2 There is/are의 부정문과 의문문

개념 확인 ✎111쪽

Ⓐ 1 is not   2 Is there
3 Are there   4 isn't
5 are not   6 Is there

해석 1 수프에 소금이 없다. 2 책상 위에 노트북이 있니? 3 연못에 물고기가 많이 있니? 4 병 안에 기름이 많이 없다. 5 바구니에 사과가 없다. 6 햄버거에 치즈가 있니?

Ⓑ 1 there is   2 there isn't
3 there are   4 there isn't
5 there aren't   6 there are

해석 1 A: 상자 안에 모자가 있니? B: 응, 있어. 2 A: 책상 아래에 공이 있니? B: 아니, 없어. 3 A: 땅에 개미가 많이 있니? B: 응, 있어. 4 A: 새장 안에 새가 있니? B: 아니, 없어. 5 A: 서랍 안에 티셔츠가 있니? B: 아니, 없어. 6 A: 침대 위에 인형이 있니? B: 응, 있어.

STEP 1 ✎112쪽

1 are not / toys   2 Is there / theater
3 Are there / doctors   4 is not / salt   5 Is there / paper   6 are not / eggs   7 Are there / benches   8 is not / bookstore
9 Are there / trees   10 are not / books

1 Are there five potatoes in the bag? 2 There isn't a dog in the yard. 3 Is there any jam in the jar? 4 There aren't any banks in the town. 5 There isn't any bread on the plate. 6 There aren't any spiders on the wall. 7 Is there a lot of air in the tire? 8 There isn't any paper in the box. 9 Are there many paintings in the gallery? 10 There aren't any cookies in the basket.

해석 1 가방 안에 다섯 개의 감자가 있니? 2 마당에 개가 없다. 3 병 안에 잼이 있니? 4 그 마을에 은행이 없다. 5 접시 위에 빵이 없다. 6 벽에 거미가 없다. 7 타이어에 바람이 많이 있니? 8 상자에 종이가 없다. 9 미술관에 그림이 많이 있니? 10 바구니에 쿠키가 없다.

1 There aren't[are not] many people at the bus stop. 2 Is there any ice on the ground? 3 There are fifty rooms in the hotel. 4 There isn't[is not] a lot of soup in the bowl. 5 Are there six dresses in the closet? 6 There is some money in your wallet. 7 There aren't[are not] two spoons on the table. 8 Is there a large house on the hill? 9 There are some subway stations near here. 10 There aren't[are not] any vegetables in the basket.

해석 1 버스 정류장에 사람들이 많이 있다. → 버스 정류장에 사람들이 많이 없다. 2 땅 위에 얼음이 조금 있다. → 땅 위에 얼음이 있니? 3 그 호텔에는 50개의 방이 없다. → 그 호텔에는 50개의 방이 있다. 4 그릇에 수프가 많이 있다. → 그릇에 수프가 많이 없다. 5 옷장에 드레스 여섯 벌이 있다. → 옷장에 드레스 여섯 벌이 있니? 6 네 지갑에 돈이 있니? → 네 지갑에 돈이 조금 있다. 7 식탁 위에 숟가락 두 개가 있다. → 식탁 위에 숟가락 두 개가 없다. 8 언덕 위에 커다란 집이 있다. → 언덕 위에 커다란

집이 있니? 9 이 근처에 지하철 역이 있니? → 이 근처에 지하철 역이 몇 개 있다. 10 바구니에 야채가 조금 있다. → 바구니에 야채가 없다.

1 Are there many pigs on the farm? 2 There is not[isn't] an airport in this city. 3 Are there four giraffes in the zoo? 4 There aren't[are not] any trucks on the road. 5 Are there any fish in the river? 6 There is not[isn't] any pepper in the bottle. 7 Is there a sofa in the living room? 8 There is not[isn't] any money in my purse. 9 Is there any juice in the refrigerator? 10 There aren't[are not] many benches in the park.

1 ④ 2 ② 3 ④ 4 ③ 5 ③ 6 ①
7 ② 8 ③ 9 There is a big tree
10 There are a lot of pictures
11 There aren't[are not] any coins
12 Is there a backpack

1 '~이 있다'라는 존재를 나타낼 때는 There를 사용한다. 문장의 실제 주어는 be동사 뒤에 있는 명사이며 이 명사에 동사의 수를 일치시킨다. 문장의 동사가 is이므로 빈칸에는 단수명사 혹은 셀 수 없는 명사가 와야 하며 복수명사는 쓸 수 없다.
• 탁자 위에 컵/바나나/배/약간의 치즈가 있다.

2 '~이 있니?'라고 묻는 의문문으로, 문장의 동사가 Are이므로 빈칸에는 복수명사가 와야 하며 단수명사는 쓸 수 없다.
• 상자에 오렌지/장난감/책/많은 공이 있니?

3 '~이 있다'라는 존재를 나타낼 때는 There를 써야 한다.

4 「There is / are ~」의 부정문은 be동사 바로 뒤에 not을 써서 표현한다.
- 운동장에 한 소년이 있다.

5 첫 번째 문장은 동사가 is이므로 빈칸에 단수명사 혹은 셀 수 없는 명사를 써야 하고, 두 번째 문장은 동사가 are 이므로 빈칸에 복수명사를 써야 한다.
- 병 안에 우유가 없다.
- 바구니 안에 당근이 몇 개 있다.

6 ①은 a cat이라는 단수명사가 쓰였으므로 is가 적절하고, 나머지는 모두 복수명사가 쓰였으므로 are가 적절하다.
① 탁자 옆에 고양이 한 마리가 있다.
② 탁자 위에 책 세 권이 있다.
③ 탁자 아래 인형 두 개가 있다.
④ 탁자 위에 사과가 많이 있다.
⑤ 탁자 위에 수박 네 개가 있다.

7 문장의 실제 주어는 some flour라는 셀 수 없는 명사이므로 ②의 There are는 There is로 써야 한다.
① 방에 책상 두 개가 있다.
② 그릇에 밀가루가 조금 있다.
③ 공원에 사람들이 많이 있다.
④ 탁자 위에 토마토 하나가 있다.
⑤ 병에 올리브유가 약간 있다.

8 문장의 실제 주어는 any cups라는 복수명사이므로 ③ 의 Is there는 Are there로 써야 한다.
① 책상 위에 펜 한 자루가 있니?
② 하늘에 새가 없다.
③ 탁자 위에 컵이 있니?
④ 그 동물원에는 원숭이가 없다.
⑤ 교실에 아이들이 많이 있니?

9 '~이 있다'라는 뜻을 나타낼 때는 「There is / are + 주어 ~」순서로 써야 한다. 문장의 실제 주어는 단수명사 a big tree이므로 is를 써서 문장을 완성해야 한다.

10 '~이 있다'라는 뜻을 나타낼 때는 「There is / are + 주어 ~」순서로 써야 한다. 문장의 실제 주어는 복수명사 a lot of pictures이므로 are를 써서 문장을 완성해야 한다.

11 '~가 없다'라는 뜻을 나타낼 때는 「There is / are + not + 주어 ~」순서로 써야 한다. 문장의 실제 주어는 복수명사 any coins이므로 are를 써서 문장을 완성해야 한다.

12 '~가 있니?'라고 물을 때는 「Is / Are + there + 주어 ~」순서로 써야 한다. 문장의 실제 주어는 단수명사 a backpack이므로 is를 써서 문장을 완성해야 한다.

Unit 8 비인칭 주어 It

Lesson 1 시간/요일/날짜를 나타내는 It

개념 확인 ✎ 121쪽

Ⓐ
1 It	**2** sixth
3 two	**4** it
5 It's	**6** October 3rd

해석 **1** 2시 40분이다. **2** 3월 6일이다. **3** 2시 10분이다. **4** 몇 시니? **5** 수요일이다. **6** 10월 3일이다.

Ⓑ
1 It's five ten.	**2** It's Monday.
3 It's three o'clock.	**4** It's Tuesday.
5 It's June 7th.	**6** It's two thirty.

해석 **1** A: 몇 시니? B: 5시 10분이야. / 좋은 시간이야. **2** A: 오늘 무슨 요일이니? B: 나는 월요일이 좋아. / 월요일이야. **3** A: 지금 몇 시니? B: 나는 시간이 있어. / 3시야. **4** A: 오늘 무슨 요일이니? B: 화요일이야. / 9월이야. **5** A: 오늘 며칠이니? B: 2월이야. / 6월 7일이야. **6** A: 지금 몇 시니? B: 2시 30분이야. / 8월 27일이야.

STEP 1 ✎ 122쪽

1 Sunday **2** three thirty **3** the seventh of July **4** What time **5** nine o'clock **6** What date **7** Friday **8** four fifty **9** December tenth **10** What day

STEP 2 ✎ 123쪽

1 It's six twenty. **2** It is Monday. **3** What day is it today? **4** It is June third. **5** It's five ten. **6** What time is it now? **7** It's November fourth. **8** It is one o'clock. **9** It's the fifth of September. **10** What date is it today?

STEP 3
🖊 124쪽

1 It is four o'clock now.   2 What time is it now?   3 It is Saturday.   4 It is April seventh.   5 What day is it today?   6 It is November 28th, 2025.   7 It is eight fifty.   8 It is the second of February.

STEP 4
🖊 125쪽

1 What date is it today? / What's the date today?   2 It is three o'clock.   3 It is seven ten.   4 It is Wednesday.   5 What time is it?   6 It is October second. / It is (the) second of October.   7 What day is it today?   8 It is Friday.   9 It is January first, 2025. / It is (the) first of January, 2025.   10 It is eleven forty.

Lesson 2 날씨/거리/명암을 나타내는 It

개념 확인
🖊 127쪽

Ⓐ 1 It   2 How
3 sunny   4 It
5 It   6 far

해석 1 안개가 꼈다.   2 오늘 날씨가 어떠니?   3 화창하다.
4 내 방은 밝다.   5 여기서부터 3킬로미터야.   6 너희 학교까지 얼마나 머니?

Ⓑ 1 It's cloudy.   2 It's so bright.
3 It's 200 meters.   4 It's very dark.
5 It's raining.   6 It's 500 meters.

해석 1 A: 날씨가 어떠니? B: 흐려. / 월요일이야.   2 A: 그 방은 얼마나 밝니? B: 그것은 아주 커. / 매우 밝아.   3 A: 그 가게까지 얼마나 머니? B: 200미터야. / 그것은 내 가게야.   4 A: 오후 9시에 얼마나 어둡니? B: 오후 8시야. / 매우 어두워.   5 A: 오늘 날씨가 어떠니? B: 4월 2일이야. / 비가 오고 있어.   6 A: 은행에서 도서관까지 얼마나 머니? B: 500미터야. / 2시 50분이야.

STEP 1
🖊 128쪽

1 hot   2 far   3 dark   4 raining   5 How far   6 cloudy   7 bright   8 three kilometers

STEP 2
🖊 129쪽

1 It is about 30 kilometers.   2 It is foggy.   3 It is bright outside.   4 It's[It is] not far from here.   5 It is snowing now.   6 What is the weather like in autumn?   7 It is dark in the cave.   8 How is the weather today?   9 It rains a lot in summer.   10 How far is it to the moon?

STEP 3
🖊 130쪽

1 It is windy.   2 It is far from your house.   3 What is the weather like today?   4 It is warm in spring.   5 It is about five meters from here.   6 It snows in winter.   7 How far is it to the subway station?   8 It is not bright in the concert hall.

STEP 4
🖊 131쪽

1 It is bright in the living room.   2 It is cold outside.   3 How is the weather?   4 It is raining in my town.   5 It is not far to the beach.   6 How is the weather in Korea?   7 It is 400 meters from my house.   8 It is dark on the stairs.   9 It is cool in autumn.   10 How far is it to the store?

1 ③ **2** ② **3** ③ **4** ⑤ **5** ② **6** ①

7 ④ **8** ⑤ **9** How is[How's] / snowing

10 What day / Monday

11 What time / eight thirty

12 How far / five kilometers

---

1 ③의 It은 인칭대명사로 '그것'이라는 의미이고, 나머지는 날씨, 날짜, 요일, 거리를 나타내는 비인칭 주어 It으로 따로 해석하지 않는다.
① 오늘은 덥다.
② 1월 7일이다.
③ 그것은 휴대 전화이다.
④ 오늘은 토요일이다.
⑤ 해변까지는 2킬로미터이다.

2 각각 날짜, 요일, 명암을 나타내므로 빈칸에 들어갈 말은 비인칭 주어 It이다.
• 5월 5일이다.
• 수요일이다.
• 밖은 어둡다.

3 날씨를 물어볼 때는 How is the weather?나 What is the weather like?를 써야 하므로 첫 번째 ⓐ에는 What이 들어가야 한다. 날짜를 물어볼 때는 What date ~?를 쓰므로 두 번째 ⓐ에도 What이 적절하다. 날씨와 날짜를 말할 때는 비인칭 주어 It을 사용하므로 ⓑ에 공통으로 들어갈 말은 It이다.
• A: 날씨가 어떠니? B: 비가 내리고 있어.
• A: 오늘은 며칠이니? B: 5월 4일이야.

4 How far is it ~?은 거리가 얼마나 되는지 묻는 말이므로 대답으로 알맞은 것은 ⑤이다.
• 여기서 병원까지 얼마나 머니?
① 응, 그래.
② 화요일이야.
③ 비가 오고 있어.
④ 4시 정각이야.
⑤ 3킬로미터야.

5 ①, ③, ④, ⑤에는 날씨, 시간, 날짜, 명암을 나타내는 비인칭 주어 It을 써야 한다. ②에 인칭대명사 It이 들어가면 '그것은 나의 어머니이다.'라는 의미가 되는데, 사람을 가리킬 때는 It을 사용하지 않으므로 ②의 빈칸에는 인칭대명사 She를 쓰는 것이 적절하다.

① 매우 춥다.
② 그녀는 나의 어머니이다.
③ 10시 15분이다.
④ 7월 8일이다.
⑤ 그 가게 안은 밝다.

6 What day is it?은 요일을 물어보는 표현이므로 날짜로 대답하는 것은 어색하다. 날짜를 물어보려면 What date is it?으로 물어야 한다.
① A: 무슨 요일이니? B: 2월 10일이야.
② A: 지금 몇 시니? B: 5시 30분이야.
③ A: 날씨가 어떠니? B: 오늘은 따뜻해.
④ A: 며칠이니? B: 10월 15일이야.
⑤ A: 도서관까지 얼마나 머니? B: 800미터 정도야.

7 날짜를 나타낼 때 '월'의 첫 글자는 대문자로 써야 하므로 August fifteenth로 써야 한다.
① 토요일이다.
② 5시 40분이다.
③ 오늘은 매우 덥다.
④ 8월 15일이다.
⑤ 학교까지 7킬로미터이다.

8 날짜를 나타낼 때 '일'은 서수로 써야 하므로 ⑤의 the three of September는 (the) third of September 또는 September third로 써야 한다.
① 금요일이다.
② 2시 10분이다.
③ 오늘은 시원하다.
④ 5킬로미터이다.
⑤ 9월 3일이다.

9 날씨를 물어볼 때는 의문사 How를 써서 How is the weather?로 묻고 비인칭 주어 It을 사용해서 대답한다. '눈이 내리다'라는 뜻의 동사 snow는 현재진행형으로 써서 날씨를 나타낼 수 있다.

10 요일을 물어볼 때는 What day is it (today)?으로 물어보고, 비인칭 주어 It을 사용해서 대답한다.

11 시간을 물어볼 때는 What time is it?으로 물어보고, 비인칭 주어 It을 사용해서 대답한다.

12 거리를 물어볼 때는 How far is it (to) ~?으로 물어보고, 비인칭 주어 It을 사용해서 대답한다.

MEMO

단어 TEST
✎ 워크북 138쪽

1	room	6	cookie
2	trust	7	hobby
3	bakery	8	garlic
4	vacation	9	subject
5	sick	10	textbook

11	과일	16	점심식사
12	목소리	17	자다
13	계절	18	식당
14	동물	19	스웨터
15	기분이 안 좋은	20	가장 좋아하는

해석 TEST
✎ 워크북 139쪽

1 누가 너의 아버지시니?

2 저것은 누구의 필통이니?

3 네가 가장 좋아하는 노래는 무엇이니?

4 그녀는 언제 바이올린을 연주하니?

5 제과점은 어디에 있니?

6 새로운 방은 어떠니?

7 너는 왜 판다를 좋아하니?

8 누가 소파에서 자니?

9 그는 무슨 과목을 가르치니?

10 이것은 누구의 우산이니?

영작 TEST ①
✎ 워크북 140쪽

1 Who is sick?

2 Whose camera is this?

3 What is your hobby?

4 When is his birthday?

5 Where is the restaurant?

6 How do you go to school?

7 Why does she hate garlic?

8 Who wants these cookies?

9 What fruit do you like?

10 When do you eat lunch?

영작 TEST ②
✎ 워크북 141쪽

1 Who teaches English?

2 Whose voice is this?

3 What is your favorite animal?

4 When is your vacation?

5 Where does he play soccer?

6 How is this sweater?

7 Why do you trust her?

8 Whose textbooks are these?

9 What season do you like?

10 Why is she upset?

단어 TEST
✎ 워크북 144쪽

1	run	6	high
2	moon	7	turtle
3	album	8	collect
4	stamp	9	people
5	rope	10	exercise
11	카드	16	버터
12	언덕	17	안전한
13	차	18	땅콩
14	깊은	19	설탕
15	학교	20	경기장

해석 TEST
✎ 워크북 145쪽

1 Jack은 얼마나 키가 크니?
2 그녀는 얼마나 많은 계란을 사니?
3 그 거북이는 몇 살이니?
4 너는 얼마나 많은 설탕이 필요하니?
5 그는 얼마나 일찍 일어나니?
6 너는 얼마나 많은 편지를 쓰니?
7 그는 얼마나 많은 커피를 마시니?
8 너는 얼마나 오래 수학을 공부하니?
9 달은 얼마나 밝니?
10 너의 앨범에 사진이 몇 장 있니?

영작 TEST ①
✎ 워크북 146쪽

1 How much is this skirt?
2 How high is that hill?
3 How large is the stadium?
4 How many sports do you play?
5 How deep is the sea?
6 How many people do you invite?
7 How much butter do you need?
8 How fast does he run?
9 How much jam does she want?
10 How long does a whale live?

영작 TEST ②
✎ 워크북 147쪽

1 How safe is it?
2 How many peanuts does he eat?
3 How old are you?
4 How much paper do you need?
5 How long is this rope?
6 How much tea does Tom drink?
7 How often do they exercise?
8 How many cards do we have?
9 How far is your school?
10 How many stamps do you collect?

WORKBOOK Unit 3 조동사 (1)

단어 TEST
✎ 워크북 150쪽

1	sit	6	park
2	open	7	festival
3	answer	8	machine
4	drive	9	true
5	arrive	10	stay
11	찾다	16	프린터
12	들어가다	17	재킷
13	부자인, 부유한	18	숫자
14	여기에	19	(문제를) 풀다
15	매운	20	여권

해석 TEST
✎ 워크북 151쪽

1 나는 말을 탈 수 있다.

2 오늘 밤에 비가 올지도 모른다.

3 너는 차를 운전할 수 있니?

4 Dina는 샌드위치를 만들 수 있다.

5 너는 그 축제에 가도 된다.

6 그들은 그 기계를 사용할 수 없다.

7 너는 그 숫자를 기억할 수 있니?

8 내가 너의 우산을 빌려도 되니?

9 그는 지금 그 방에 들어갈 수 없다.

10 너는 너의 핸드폰을 사용해서는 안 된다.

영작 TEST ①
✎ 워크북 152쪽

1 Can I sit here?

2 He can't[cannot] sing well.

3 Can he solve the problem?

4 Olivia can't[cannot] eat spicy food.

5 Can I borrow your camera?

6 Steven can play the guitar.

7 Can she carry the boxes?

8 I can't[cannot] find my passport.

9 Can you answer the question?

10 They can build a house.

영작 TEST ②
✎ 워크북 153쪽

1 He may not be rich.

2 You may stay here.

3 May I drive this car?

4 You may play the piano now.

5 She may not park here.

6 They may arrive early.

7 You can wear my jacket.

8 May I use this printer?

9 It may not be true.

10 You may not wear shoes.

단어 TEST
📎 워크북 156쪽

1	tie	6	throw
2	river	7	leave
3	take	8	rude
4	read	9	rule
5	send	10	waste
11	얼굴	16	시장
12	빠지다, 놓치다	17	돌
13	(꽃을) 꺾다	18	약
14	(규칙을) 어기다	19	직업, 일
15	조심하는	20	안전벨트

해석 TEST
📎 워크북 157쪽

1 너는 손을 씻어야 한다.
2 제가 내일 떠나야 하나요?
3 너는 길을 건너서는 안 된다.
4 우리는 돌을 던져서는 안 된다.
5 우리는 조심해야 한다.
6 너는 새로운 직업을 찾아야 한다.
7 그는 저녁을 먹을 필요가 없다.
8 그녀는 약을 좀 먹어야 한다.
9 그들은 안전벨트를 해야 한다.
10 너는 규칙을 어겨서는 안 된다.

영작 TEST ①
📎 워크북 158쪽

1 She has to go home now.
2 You must not waste time.
3 I must follow the rules.
4 He doesn't have to wear a tie.
5 You have to take a taxi.
6 We must not miss the bus.
7 I don't have to go to the market.
8 They must find Tom's house.
9 You must not swim in the river.
10 We must finish our homework.

영작 TEST ②
📎 워크북 159쪽

1 I should read this book.
2 He shouldn't open that door.
3 Should we leave early?
4 You should wash your face.
5 She should send these letters.
6 They shouldn't be rude.
7 You should buy that computer.
8 We shouldn't pick those flowers.
9 Should he drive this car?
10 You shouldn't waste paper.

단어 TEST

✎ 워크북 162쪽

1	key	6	shy
2	bring	7	choose
3	draw	8	lose
4	jump	9	match
5	afraid	10	continue
11	색	16	누르다
12	농구	17	멈추다
13	잡다	18	큰 소리로
14	거짓말	19	만지다
15	지갑	20	모래성

해석 TEST

✎ 워크북 163쪽

1 천천히 운전해라.
2 6시에 만나자.
3 거짓말을 하지 마라.
4 자전거를 타지 말자.
5 차를 멈춰라.
6 꽃 한 송이를 그리자.
7 여기서 크게 말하지 마라.
8 농구를 하지 말자.
9 절대 너의 열쇠를 잃어버리지 마라.
10 이제 색깔을 고르자.

영작 TEST ①

✎ 워크북 164쪽

1 Don't be afraid.
2 Let's make a robot.
3 Clean your room.
4 Let's not watch the movie.
5 Don't open the drawer.
6 Invite your friends.
7 Let's make a sandcastle.
8 Let's continue the game.
9 Never jump on the bed.
10 Let's not play with matches.

영작 TEST ②

✎ 워크북 165쪽

1 Don't be shy.
2 Let's play the piano.
3 Hold my hand.
4 Bring your wallet.
5 Don't push this button.
6 Let's not eat that candy.
7 Never touch my dog.
8 Let's drink water.
9 Don't read his letter.
10 Let's not open this box.

WORKBOOK Unit 6 전치사

단어 TEST
🖊 워크북 168쪽

1	bake	6	hide
2	meal	7	plate
3	shop	8	start
4	butterfly	9	postcard
5	universe	10	living room

11	램프, 등	16	선반
12	오르다	17	사다리
13	수영장	18	계단
14	지하철	19	소포
15	버스 정류장	20	우체통

해석 TEST
🖊 워크북 169쪽

1 책 한 권이 선반 위에 있다.
2 그는 문 뒤에 숨는다.
3 그녀는 수영장 안으로 뛰어들고 있다.
4 그 가게는 오후 2시에 연다.
5 그는 계단 아래로 걸어가고 있다.
6 그 소포는 일본에서 온 것이다.
7 나는 식사 전에 내 손을 씻는다.
8 그 소파는 거실에 있다.
9 이 영화는 우주에 대한 것이다.
10 그 시계는 램프와 컵 사이에 있다.

영작 TEST ①
🖊 워크북 170쪽

1 It is cold in winter.
2 She takes a nap after lunch.
3 A mailbox is under the tree.
4 He is climbing up the ladder.
5 The plate is on the table.
6 A bird flies across the sky.
7 Jane is waiting at the bus stop.
8 They are coming out of the building.
9 I write a letter with a pencil.
10 He sends a postcard to his parents.

영작 TEST ②
🖊 워크북 171쪽

1 My cat is under my bed.
2 Jenny lives in Canada.
3 I play the piano after school.
4 Her party starts at 8 o'clock.
5 This book is about love.
6 A butterfly is on your hand.
7 She is standing next to Peter.
8 His car is in front of my house.
9 You bake bread for your son.
10 We go to school by subway.

단어 TEST
✎ 워크북 174쪽

1	cage	6	farm
2	pot	7	theater
3	dust	8	cushion
4	pond	9	ground
5	near	10	painting
11	나뭇잎	16	유리컵
12	오리	17	양
13	도로	18	주머니
14	옷장	19	벽
15	도서관	20	역, 정류장

해석 TEST
✎ 워크북 175쪽

1 연못에 오리 한 마리가 있다.

2 이 근처에 우체국이 있니?

3 새장 안에 새가 없다.

4 접시 위에 약간의 버터가 있다.

5 거실에 소파가 있니?

6 농장에 많은 양이 있다.

7 주전자에 차가 많이 없다.

8 나무에 많은 나뭇잎들이 있다.

9 책상 위에 연필이 없다.

10 너의 주머니 안에 동전이 있니?

영작 TEST ①
✎ 워크북 176쪽

1 Is there a library near your house?

2 There is a map on the table.

3 There are five airports in the country.

4 There isn't any money in my wallet.

5 Are there many benches in this park?

6 There is a little sugar in the bottle.

7 There are some potatoes on the ground.

8 Is there a toothbrush in the bathroom?

9 There isn't a hotel next to the station.

10 There aren't any students in the classroom.

영작 TEST ②
✎ 워크북 177쪽

1 There is some dust under the bed.

2 Is there any juice in the glass?

3 There are not[aren't] any theaters in this city.

4 There are some paintings on the wall.

5 There are some cushions on the sofa.

6 Are there any closets in your room?

7 There is some milk in the bottle.

8 There are not[aren't] any fish in the pond.

9 There is not[isn't] any salt on the plate.

10 Are there any cars on the road?

단어 TEST
✎ 워크북 180쪽

1	far	6	dark
2	cave	7	snow
3	warm	8	February
4	foggy	9	Thursday
5	Wednesday	10	windy

11	추운	16	여름
12	봄	17	날짜
13	비가 내리다	18	월요일
14	밝은	19	날씨
15	11월	20	9월

해석 TEST
✎ 워크북 181쪽

1 오늘 며칠이니?

2 목요일이야.

3 봄에는 따뜻하다.

4 바깥은 어둡지 않다.

5 오늘은 월요일이다.

6 11시 20분이다.

7 서울에 눈이 내리고 있다.

8 2021년 2월 7일이다.

9 거실은 밝지 않다.

10 여기서 서점까지 얼마나 머니?

영작 TEST ①
✎ 워크북 182쪽

1 It is Saturday.

2 What time is it?

3 It is October eleventh. / It is (the) eleventh of October.

4 It is nine thirty.

5 It is Tuesday.

6 How is the weather?

7 It is dark in the cave.

8 It is foggy in London.

9 It is bright in the classroom.

10 It is far to the train station.

영작 TEST ②
✎ 워크북 183쪽

1 It is two ten.

2 It is raining now.

3 It is Wednesday.

4 What day is it?

5 It is three o'clock.

6 It is windy today.

7 It is dark in my room.

8 It is September first. / It is (the) first of September.

9 It is cold in November.

10 How far is it to your school?

쓰면서 강해지는

초등 영문법

3

독해력을 키우는 단계별 · 수준별 맞춤 훈련!!

초등 국어
일등급 독해력

▶ 전 6권 / 각 권 본문 176쪽 · 해설 48쪽 안팎

수업 집중도를
높이는
교과서 연계 지문

➕

생각하는 힘을
기르는
수능 유형 문제

➕

독해의 기초를
다지는
어휘 반복 학습

≫ 초등 국어 독해, 왜 필요할까요?

● 초등학생 때 형성된 독서 습관이 모든 학습 능력의 기초가 됩니다.

● 글 속의 중심 생각과 정보를 자기 것으로 만들어 **문제를 해결하는 능력**은 한 번에 생기는 것이 아니므로, 좋은 글을 읽으며 차근차근 쌓아야 합니다.

엄마! 우리 반 **1등**은 **계산의 신**이에요.

초등 수학 100점의 비결은 **계산력!**

KAIST 출신 저자의

계산의 신 神

《계산의 신》 권별 핵심 내용		
초등 1학년	1권	자연수의 덧셈과 뺄셈 기본 (1)
	2권	자연수의 덧셈과 뺄셈 기본 (2)
초등 2학년	3권	자연수의 덧셈과 뺄셈 발전
	4권	네 자리 수 / 곱셈구구
초등 3학년	5권	자연수의 덧셈과 뺄셈 /곱셈과 나눗셈
	6권	자연수의 곱셈과 나눗셈 발전
초등 4학년	7권	자연수의 곱셈과 나눗셈 심화
	8권	분수와 소수의 덧셈과 뺄셈 기본
초등 5학년	9권	자연수의 혼합 계산 / 분수의 덧셈과 뺄셈
	10권	분수와 소수의 곱셈
초등 6학년	11권	분수와 소수의 나눗셈 기본
	12권	분수와 소수의 나눗셈 발전

매일 하루 두 쪽씩,
하루에 10분
문제 풀이 학습